W9-DBG-761

Deus fez a pedra rude, a pedra forte,
e depois destinou: — Serás eterna.
Mostrarás a altivez de quem governa,
não ousará tocar-te a própria morte.

E a pedra julgou linda a sua sorte.
Foi palácio, foi templo, foi caverna,
foi estátua, foi muralha, foi cisterna,
viveu sem coração, sem fé, sem norte.

Mas viu morrer o infante, o monge, a fera,
o herói, o artista, a flor, a fonte, a hera,
e humildemente quis também morrer.

Não grita, não se queixa, não murmura,
guarda a mesma aparência hostil e dura
mas sofre o mal de não poder sofrer.

FERNANDA DE CASTRO

God made the stone rough, he made it strong,
and then determined: — You will be eternal.
Yours will be the bearing of one who rules,
Not even death will dare to touch you.

And the stone was happy with its destiny.
It was palace, it was temple, it was cavern,
It was statue, it was wall, it was cistern,
It lived without heart, without faith, without purpose.

But it witnessed the death of the prince, the monk, the beast,
The hero, the artist, the flower, the fountain, the ivy,
And with humility wished also to die.

It does not cry out, does not complain, does not censure,
It preserves its hostile and harsh demeanour
But endures the pain of one who cannot suffer.

FERNANDA DE CASTRO

Agradecimento:
A editora e os autores agradecem a colaboração prestada pela Fundação Calouste Gulbenkian e pela Câmara Municipal de Lisboa.

Rua de D. Estefânia, 46-B
1000 LISBOA
Telefs.: 53 76 77, 54 58 39, 352 23 10
Telex: 64030 DIFEL P
Telefax: (01) 54 58 86

Fotocomposição: Textype — Artes Gráficas, Lda.
Selecção de cores: Meiotom, Lda.
Impressão e acabamento: Printer Portuguesa, Lda.
Depósito legal n.º 41632/90
ISBN 972-29-0267-9

LISBOA

DE PEDRA E BRONZE
IN STONE AND BRONZE

A ESTATUÁRIA NO CAMINHO DA CIDADE
THE STATUARY IN PUBLIC PLACES OF THE CITY

FOTOGRAFIAS
PHOTOGRAPHS

Luís Leiria de Lima

TEXTOS
TEXT

Isabel Salema

TRADUÇÃO
TRANSLATION

Patrícia Thorburn

ÍNDICE / INDEX

Aí, onde vivem gentes, se juntam casas; onde, entre as portadas se traça tímido um caminho e onde se juntam os caminhos se desenha o largo, a praça, o jardim. E logo se enfeita a sala de visitas da vila semeando-lhe buxos, flores, árvores ou lagos... Porque não então um busto ou coluna alegórica, um deus antigo que dá às gentes a justificação de um passado perdido nos tempos? Elas são — as estátuas — a homenagem dos vivos aos mortos que lhes deram sentido; são uma oração em mármore à divindade arredia; são a afirmação de um trabalho ou ofício que junta as gentes à volta de um barco ou à sombra de um moinho.

E assim como os lugares crescem e se tornam cidades, assim se espalham os testemunhos de identidade, cultura, história ou crença.

Um largo abre-se num arco triunfal e reis dão, no bronze ou na pedra, as mãos aos deuses. Celebram todos o passado que tornou o presente possível.

Às vezes o monumento grandioso marca a charneira de uma época em que um homem ou um facto encarnam a mudança; outras, amigos louvam um génio quase desconhecido; outras, ainda, um voto de crentes marca na pedra o agradecimento de um milagre.

Gentis, algumas são a criação artística de um escultor que sonhou a força, a alegria, a dor ou a virtude... Apenas uma criança que brinca, a imagem personificada de um rio, a graça de um corpo de mulher.

Assim, enfeites ou testemunhos, gestos de criação ou de encomenda, figuras de reis ou modelos desconhecidos, na estatuária de uma cidade é todo um povo que se reflecte, que se marca nas etapas definitivas, que se solta na sua forma especial de sonhar.

Lisboa não foge a essa magia de nomes que se perpetuam olhando os séculos. Se em Belém relembra os descobrimentos erguendo o Infante na proa de uma nau, brinca com alegorias nos espaços verdes, enfeita as ruas com os vultos sisudos dos escritores, eleva os seus reis no alto de colunas.

Cada monumento tem uma história. Do desejo da homenagem à hora do descerrar da lápida há o sonho e o talento de quem a talhou, traço a traço, rosto a rosto, num gesto que serve a arte e a memória de um povo.

Lembrar os artistas que os conceberam é juntá-los, também eles, no todo que a cidade é.

No bronze que lembra as datas, na pedra que recorda as batalhas, todos nós escrevemos o futuro.

There, where people live, houses cluster; between their doorways tentative pathways are traced and where these meet a space appears, a square, a garden. Next, the village square becomes adorned with box-trees, flowers, trees or ponds. Then why not, also, a bust or an allegorical column, an ancient god enabling people to claim a past lost in time? Statues represent the homage paid by the living to the dead, who gave them meaning; they are a prayer in marble to a forgotten divinity; they are the confirmation of a joint venture or function that brings people together around a fishing boat or in the shade of a windmill.

In this way places grow and become cities, the visible evidence of identity, culture, history or beliefs.

A square opens on to a triumphal arch where kings, in bronze or stone, extend their hands to the Gods. They all represent the past which made the present possible.

Sometimes, the grandiose monument represents a turning point when a man, or an event, symbolise a change; in others, admirers eulogise an almost unknown genius; on still others, a dedication of thanks by believers for a miracle fulfilled.

Some are the artistic creation of a sculptor who dreamed of power, happiness, pain or virtue... A child at play, a flowing river, the grace of a woman's body.

And so, as adornments or testimonies, imaginative or commissioned, figures of kings or unknown models, the statuary of a city is the reflection of a people, marking their definitive stages, their dreams and aspirations.

Lisbon is no exception to the magical perpetuation of names through the centuries. If, in Belém, it recollects the great Discoveries by erecting a monument to the Prince D. Henrique at the prow of his vessel, it plays with allegories in its green spaces, enriches its streets with the grave countenances of its writers and raises its kings to the heights of the columns.

To acclaim the artists who created them is to include them, also, in the deeds that made the city what it is.

In the bronze where dates are inscribed, in the stone which records the battles, we all write the future.

A GLÓRIA, A NOBREZA E O VALOR — Anatole Calmels

VS
MENTO. P. P. D.

O Arco Triunfal do Terreiro do Paço, porta majestosa que abre a cidade à maresia do Tejo, começou a ser programado quando da reconstrução de Lisboa, destruída pelo terramoto de 1755.

O Arco foi primeiro sonhado por Eugénio dos Santos, em 1759, mas ao desenho do mestre logo se opôs a alternativa de Carlos Mardel. O primeiro adequado às linhas sóbrias da praça, o segundo desenhando-se complicado ao estilo da Europa Central.

E sucederam-se os projectos para esse monumento que se queria simbólico duma época. Fabri, Costa e Silva, Veríssimo José da Costa, Valentim Correia, Feliciano de Sousa Correia.

Só em 1873 se viria a finalizar a sua construção e para ela se conjugariam desenhos e esculturas de vários artistas.

A Academia de Ciências aprovou a iconografia do monumento. Vítor Bastos esculpe Viriato e Vasco da Gama, Nun'Álvares e Pombal, bem como as figuras reclinadas dos rios Tejo e Douro.

Calmels é responsável, no seu estilo correcto de académico de Paris, pelo grupo alegórico que encima o arco: a Glória coroando o Génio e o Valor, sentados a seus pés.

O Arco cumpre, porém, no seu todo, o esquema de Eugénio dos Santos, embora as alterações introduzidas lhe tenham reduzido a imponência a troco dum conjunto maciço e pesado.

Sob o grupo escultórico a inscrição: «Virtutibus Maiorum ut sit omnibus documento».

Porta de Lisboa virada ao Tejo, apesar das críticas de que foi alvo na época, o Arco do Terreiro do Paço é bem um Arco de Triunfo que hoje nos parece bem enquadrado na esquadria das ruas da Baixa lisboeta.

The plans for the Triumphal Arch of Terreiro do Paço, the magestic portal that opens the city to the Tagus, were begun with the reconstruction of Lisbon after the earthquake of 1755.

The Archway was first envisioned by Eugénio dos Santos in 1759 but found opposition in the alternative design of Carlos Mardel. The first was in keeping with the staid design of the square, the second was in a complicated Central-European style.

Further designs followed for this monument which was to symbolise an epoch: Fabri, Costa e Silva, Veríssimo José da Costa, Valentim Correia, Feliciano de Sousa Correia.

Only in 1873 was it finally constructed and it embodied the designs and sculptures of several artists.

The Science Academy approved the design of the monument. Vitor Bastos sculpted Viriato and Vasco da Gama, Nun'Álvares and Pombal and the reclining figures representing the rivers Tagus and Douro.

Calmels, in his faultless style of a Parisian academic, is responsible for the allegorical group at the summit of the arch: Glory crowning Nobleness and Valour, seated at his feet.

However, on the whole the Arch follows the design of Eugénio dos Santos, although some of the alterations introduced reduced its magesty, in exchange for a heavy and massive whole.

Beneath the sculpture is the inscription: «Virtutibus Maiorum ut sit omnibus documento».

The Archway of the Terreiro do Paço, Lisbon's doorway to the Tagus, despite the criticisms of the period, is truly an Arch of Triumph which today appears to blend very well with the geometrically designed streets of Lisbon's Baixa.

1873. Calmels e Vítor Bastos *Praça do Comércio*

O HOMEM

SEBASTIÃO JOSÉ DE CARVALHO E MELO nasceu em 1699, e quando D. José I lhe entregou, a 3 de Agosto de 1750, as secretarias dos Negócios Estrangeiros e da Guerra, não tinha reputação na Corte que lhe justificasse o cargo, nem antecedentes que o tornassem recomendável.

Chegado de Londres e Viena, onde desempenhara sem brilho missões diplomáticas, o novo ministro parecia apenas trazer a seu favor a protecção da rainha Dona Mariana da Áustria e o apoio dos jesuítas que, ironicamente, haveria de expulsar do reino.

A breve trecho, porém, ascendia ao cargo de primeiro-ministro e, inspirado nos ideais do despotismo esclarecido, procurou fortalecer o poder real e organizar com mão férrea o país e as suas colónias.

Figura odiada no seu tempo, maltratada pela maioria dos historiadores, a ele se deve a reconstrução de Lisboa após o terramoto de 1755 e esse estilo sóbrio e elegante que marcou as ruas da Baixa.

Com a morte de el-rei D. José sucedeu ao trono sua filha, Dona Maria Francisca, que reinou como Dona Maria I e que se apressou a exonerar, a 4 de Março de 1777, o odiado marquês, malvisto na Corte, e que cercado de desdém veio a morrer em 1782 na sua quinta de Pombal.

THE MAN

SEBASTIÃO JOSÉ DE CARVALHO E MELO was born in 1699 and when, on 3rd August 1750, D. José I bestowed on him the Secretariats of Foreign Affairs and War, he had no reputation at court to justify such an appointment nor a background to recommend him.

Arriving from London and Vienna where he had undertaken diplomatic missions without particular distinction, the new Minister seemed only to have in his favour the protection of Queen Mariana of Austria and the support of the Jesuits who, ironically, he would expel from the kingdom.

However, in a short while, he attained the position of Prime Minister and, inspired by ideals of enlightened despotism, he sought to strengthen the power of the throne and to organise, with an iron fist, the country and its colonies.

A much disliked figure of the period, villified by the majority of historians, to him is owed the rebuilding of Lisbon after the earthquake of 1755 and that sober and elegant architectural style that marked the streets of the Baixa.

On the death of the king D. José, the throne passed to his daughter Dona Maria Francisca who reigned as D. Maria I and who, on 4th March 1777 hastened to discharge the hated Marquis, disliked of at Court, who, despised by all, died in his Quinta de Pombal in 1782.

A ESTÁTUA

Destituído por D. Maria I e figura muito contestada no seu tempo, Sebastião José de Carvalho e Melo, o MARQUÊS DE POMBAL, só viria a merecer monumento que lhe comemorasse os feitos em 1934, esquecidos os agravos e relembrada a obra de reconstrução da cidade e de gestão cuidadosa do reino.

Na estátua colaboraram vários artistas, designadamente Francisco Sanches, Adão Bermudes e António do Couto, vencedores de concurso público, aberto em 1914.

THE STATUE

Deposed by D. Maria I and a very controversial figure of the period, Sebastião José de Carvalho e Melo, MARQUIS OF POMBAL, only became deserving of a monument to commemorate his achievements in 1934, forgotten the aggravations and remembered the work of reconstruction of the city and the careful administration of the kingdom. Various artists collaborated on the work of the statue, in particular Francisco Sanches, Adão Bermudes and António do Couto, winners of the public tender initiated in 1914.

1934. Francisco Santos, Adão Bermudes e António do Couto — *Praça Marquês de Pombal*

Começada a ser sonhada em 1882, à data do centenário da morte do ministro, só muitos anos mais tarde se viria a concretizar a homenagem.

First contemplated in 1882, the centenary of the Minister's death, it was only many years later that this tribute to him became reality.

É muito rica em estatuária a base do monumento, onde figuras alusivas à acção governativa do marquês lhe ilustram a actividade desenvolvida em prol da agricultura, pesca, indústria e instrução. No que respeita à acção do Marquês de Pombal na área do ensino, dá o monumento relevo à frontaria de um edifício clássico que simboliza a Universidade de Coimbra, tendo em frente uma estátua em bronze de Minerva.

No alto da coluna esculpiram os bustos dos principais colaboradores de Sebastião José de Carvalho e Melo. Na frente, um medalhão com o rosto de Machado de Castro.

The base of the monument is rich in carvings of figures depicting various activities of his administration in the development of agriculture, fisheries, industry and learning. Where the latter is concerned the monument shows the classical façade of a building symbolising Coimbra University with a bronze of Minerva on its front.

On top of the column there are busts of the chief collaborators of Sebastião José de Carvalho e Melo. On the front, a medallion with the face of Machado de Castro.

MACHADO CASTRO
AO
GENIAL ESTADISTA

O HOMEM

El-rei D. JOSÉ I nasceu em Lisboa a 6 de Junho de 1714 do casamento de D. João V e de D. Mariana, arquiduquesa da Áustria, filha do imperador Leopoldo I.

Subiu ao trono por morte de seu pai, em 1750, tendo governado o reino até 1777, atormentado por atentados e insatisfações, pelo terramoto de 1755, que destruiu Lisboa, e marcado pela sombra forte do seu primeiro-ministro, o Marquês de Pombal, que o tornou de alguma forma cúmplice das opressões e injustiças cometidas durante o seu reinado, acusado de pouco mais ter feito, como rei, do que dar aval às iniciativas do marquês e angustiar-se sem agir com os seus excessos.

Ao orgulho do seu ministro se deve a imortalização em bronze do apagado monarca. Foi Sebastião José de Carvalho e Melo que encomendou a Joaquim Machado de Castro a estátua do rei, e foi este que determinou que a mesma fosse inaugurada nos dias 6, 7 e 8 de Junho de 1775 no Terreiro do Paço, recém-construído, e, à data, ainda não acabado.

E, todavia, segundo Ribeiro Guimarães, aquele monumento é mais ao ministro, cujo busto está no pedestal, que ao monarca, cuja efígie majestosa e altiva ali campeia.

THE MAN

D. JOSÉ I was born in Lisbon on 6th June 1714 of the marriage between D. João V and D. Mariana, Archduchess of Austria, daughter of Emperor Leopold I.

He came to the throne in 1750 through the death of his father and governed the kingdom until 1777, harassed by attempts on his life and discontent, by the earthquake of 1755 which destroyed Lisbon and, to some extent, marked by the influence of his Prime Minister, the Marquis of Pombal who made him an accomplice to the oppressions and injustices committed during his reign. He was accused of having done little more as king than to permit the Marquis a free hand and, although tormented by his excesses, doing nothing about them.

It was his Prime Minister who had him immortalised in bronze. To this end the Marquis of Pombal engaged Joaquim Machado de Castro to model the statue of the king and it was he who determined that it should be inaugurated on the 6th, 7th and 8th June 1775 in Terreiro do Paço which, at that time, had not been completed.

However, according to Ribeiro Guimarães, that monument was erected rather to the Prime Minister, whose bust is on the pedestal, than to the king who towers magestically on its summit.

A ESTÁTUA

No centro da Praça do Comércio, à qual ainda hoje os lisboetas chamam o Terreiro do Paço, ergue-se majestosa a estátua de el-rei D. José I. Equilibrado nas proporções relativas que mantém com o terreiro que o circunda, o monumento marca esteticamente a reconstrução da cidade, que o terramoto de 1755 deixou em escombros.

THE STATUE

In the centre of the Praça do Comércio, which Lisbonites still call by the name of Terreiro do Paço, the statue to King D. José I stands magestically. Built in proportion to the square which surrounds it, the monument is an aesthetic symbol of the rebuilding of the city which was reduced to rubble by the 1755 earthquake.

1775. Machado de Castro *Praça do Comércio*

Mede 14 metros de altura e representa em bronze D. José olhando o Tejo. A simbiose perfeita entre cavalo e cavaleiro, a elegância da montada e do porte do monarca levam a considerar ser esta uma das mais belas estátuas equestres de toda a Europa.

No pedestal, feito em pedra lioz de Pêro Pinheiro, dois belíssimos grupos alegóricos: o Triunfo, cujo cavalo pisa os inimigos derrotados, e a Fama, que faz soar em tuba os sons da vitória e que ombreia com um elefante e um homem prostrado.

Na frente do monumento as armas reais encontram-se lavradas em estilo josefino e, sob estas, quis o marquês assinar o seu próprio orgulho, mandando encastoar um medalhão em bronze com a sua efígie. Este medalhão foi mandado retirar em 1777 por D. Maria I, que ao subir ao trono quis apagar a má memória do terror instituído pelo primeiro-ministro de seu pai, odiado na época. Ele voltaria a ser reposto no ano de 1833.

It is 14 m. high and represents, in bronze, D. José I looking towards the Tagus. The perfect balance between rider and mount, the elegance of the trappings and the rider's deportment make this one of the most handsome equestrian statues in Europe. On the pedestal, carved out of sandstone from Pero Pinheiro, two marvellous allegorical groups: Triumph, where the horse stamps on the conquered enemy and Fame, blowing a victorious blast on his trumpet alongside an elephant and a prostrate man.

On the front of the monument, the Royal Arms are carved in Josephine style and under these the Prime Minister had his own effigy reproduced in bronze on a medallion. This medallion was removed in 1777 by order of D. Maria I who, on ascending the throne wished to erase all memory of the horrors suffered at the hands of her father's hated Prime Minister. The medallion was replaced in 1833.

Na face norte do pedestal há ainda uma alegoria em baixo-relevo que representa a generosidade e o empenho do monarca na reconstrução da cidade destruída.

Aberto concurso internacional para apresentação de projectos a esta obra, em 1770, foi a mesma adjudicada a Machado de Castro, escultor da Escola de Mafra, que, aproveitando embora desenhos de Eugénio dos Santos, os modificou e alterou a seu jeito.

A estátua foi inaugurada em 1755, ainda não estando concluídas as obras da praça, num esforço titânico exigido a todos pelo Marquês de Pombal.

Sobram interpretações para os vários animais que o monumento apresenta, crendo-se que eles simbolizam a expansão do Império pelos quatro cantos do Mundo, o exotismo das espécies encontradas e domadas.

On the northern façade of the pedestal there is an allegory in bas relief representing the generosity and efforts of the monarch in the reconstruction of the city.

In 1770 an international competition was opened for the submission of projects for this statue, which was won by Machado de Castro, a sculptor of the Mafra school who, whilst making use of some drawings by Eugénio dos Santos, modified and altered them to his style. The statue was inaugurated on 1755 before the work of rebuilding the square had been completed, in a titanic effort on the part of all involved demanded by the Marquis of Pombal.

There are many interpretations of the various animals represented on the monument, but it is believed that they symbolise the expansion of the Empire to the four corners of the world, the exotic species discovered and mastered.

A memória do próprio escultor em: «Descrição analítica da execução da estátua equestre, erigida em Lisboa, à glória do senhor Rei Fidelíssimo D. José I, 1810», nos conta dos cuidados do artista para a realização do monumento.

A preocupação com a posição do cavalo e cavaleiro, a elegância do movimento sugerido pelas patas dianteiras do bicho que, diz Machado de Castro, significa que D. José sem sair de Portugal conseguia fazer andar o reino e desenvolver a economia.

Nas silvas e cobras que as patas do cavalo subjugam se representa «os viciosos abusos que o soberano pisou».

Machado de Castro teve ainda uma preocupação atenta aos trajes e inspirou-se para o manto do rei naqueles que usavam os cavaleiros da Ordem de Cristo.

The memoirs of the sculptor on: «an analytical description of the equestrian statue erected in Lisbon to the glory of the king D. José I, 1810», give us an ideia of the work he put into it.

His preoccupation with the positioning of the horse and rider, the elegance of movement suggested by the forefeet of the animal which, according to Machado de Castro signified that, without every leaving Portugal himself, D. José I managed to keep it always moving forward, and developed its economy.

The thorns and serpents being crushed by the horse's hooves represent «the vicious abuses the king stamped upon».

Machado de Castro was even meticulous about the king's costume and his cloak was inspired by those worn by the knights of the Order of Christ.

O ACONTECIMENTO

Estava-se em Novembro de 1807 e Junot, general de Napoleão, invadia Portugal, comandando três guarnições espanholas. O príncipe português refugia-se no Brasil e o país, dividido entre anglófilos e francófilos, torna-se joguete destes grupos, fragiliza a sua capacidade de defesa e debate-se numa tremenda indecisão política.

É costume sintetizar a Guerra Peninsular em três marcos, que são outros tantos sinais de guerra e de saque: as invasões comandadas por Junot, Soult e Massena.

Massena, porém, viria a ser derrotado na Batalha do Buçaco, sustido em Torres Vedras, e acabaria por retirar para Espanha em 1811.

A paz acabaria por ser negociada no Congresso de Viena por Sousa Holstein, Duque de Palmela, nosso representante.

THE EVENT

It was November 1807 and Junot, Napoleon's general, was invading Portugal commanding three Spanish garrisons. The Portuguese Prince had taken refuge in Brazil and the country, divided between anglophiles and francophiles and a pawn of these two factions, was weakened in its capacity to defend itself and was politically indecisive.

It is usual to sum up the Peninsular War in three stages, which include the battles and the sackings: the invasions commanded by Junot, Soult and Massena.

Massena, however, was beaten at the Battle of Buçaco, stood fast at Torres Vedras and ended by retiring into Spain in 1811.

Peace was negotiated at the Congress of Vienna where Portugal was represented by Sousa Holstein, Duke of Palmela.

A ESTÁTUA

O monumento à memória dos heróis da Guerra Peninsular (1909-1933) é da autoria dos irmãos Oliveira Ferreira e ergue-se em Lisboa, no Campo Grande.

De carácter histórico, simboliza a expulsão das tropas napoleónicas que a Nação libertada, no topo da coluna em pedra, arreda, afastando a simbólica águia de Bonaparte.

Esculpidos, soldados e populares apoiam e defendem a figura da Pátria.

THE STATUE

The monument to the heroes of the Peninsular War is the work of the brothers Oliveira Ferreira and was erected in Lisbon in the Campo Grande.

Historically, it symbolises the expulsion of the Napoleonic troops, with the liberated Nation, on top of the stone column, driving out Bonaparte's symbolic eagle.

The sculptured soldiers and populace defend the figure of the Homeland.

1933. Irmãos Oliveira Ferreira *Largo de Entrecampos*

O monumento, muito do estilo da época, associando valores naturalistas a valores revivalistas, tem, apesar de uma certa desarticulação entre as partes que o compõe, um todo dinâmico e um jeito dramático.

Inaugurado em Janeiro de 1933, o projecto que deu origem ao grupo escultórico ganhou concurso aberto em 1909 aos outros catorze concorrentes.

José de Oliveira Ferreira (1883-1942) foi discípulo de Teixeira Lopes, no Porto, e de Mercié, em Paris, tendo regressado a Portugal expressamente para realizar esta obra que, para alguns, é considerada a sua «obra-prima».

The monument, in the style of the period, combining naturalist and revivalist values has, in spite of a certain imbalance among the parts of which it is composed, an overall dramatic and dynamic touch.

Inaugurated in January 1933, the design from which the sculpture was modelled won an open competition in 1909 over fourteen other entries.

José de Oliveira Ferreira (1883-1942) was a pupil of Teixeira Lopes in Oporto and of Mercié in Paris, having returned to Portugal for the express purpose of converting into reality this project which was considered, by some, to be his masterpiece.

O monumento é de fácil leitura e as figuras entusiasmam. Integra-se bem no simbolismo que se vivia, conjugando esse traço manuelino do bloco central com o restante estilo.

Ao outro irmão Oliveira Ferreira pertence a concepção arquitectónica do conjunto.

The monument is easily understood and its figures are inspiring. It is well integrated in the symbolism of the times, combining the style of the Manueline central block with the remainder.

Another Oliveira Ferreira brother was responsible for the architectural conception of the whole.

O ACONTECIMENTO

Quando eclodiu a Primeira Guerra Mundial estava--se em 1914, não era incontroversa em Portugal a necessidade do envolvimento do país no conflito que agitava o Mundo, e esse envolvimento veio agravar as divisões existentes no seio dos republicanos.

O interesse nacional, colonial e republicano apontavam para a intervenção na guerra ao lado dos Aliados, e nisso concordavam democráticos e evolucionistas.

Unionistas, monárquicos e clericais defendiam o contrário, argumentando que, alinhar com os Aliados era alinhar com a França ateia e maçónica, com a protestante e traidora Inglaterra, com a cismática Rússia e, além de tudo, com Afonso Costa, inimigo número um!

Nos começos de 1916, a Grã-Bretanha pede a Portugal a requisição das dezenas de navios mercantes alemães que se haviam refugiado em portos do continente, ilhas e ultramar. Em Fevereiro, Portugal acede, e a 9 de Março a Alemanha declara-nos guerra.

Houve então que cumprir a difícil tarefa de organizar uma força expedicionária que fosse combater em França, Angola e Moçambique. Foi devido à capacidade organizativa e directiva de Norton de Matos, então ministro da Guerra, que se deu o chamado «Milagre de Tancos», ou seja, a preparação em nove meses do C.E.P. (Corpo Expedicionário Português), que, no início de 1917, desembarcou em França e aí se cobriu de glória.

Segundo o memorando do Dr. Egas Moniz, presidente da primeira delegação portuguesa à Conferência de Paz, em 11 de Novembro de 1918, as perdas portuguesas cifraram-se em 35 mil mortos e feridos graves (sem contar com as inúmeras vítimas de doenças adquiridas em campanha) e cerca de seis mil e quinhentos prisioneiros. A despesa do Estado português com o conflito ascendeu a 900 mil contos da época.

O fim das hostilidades internacionais deixou Portugal num crescendo de instabilidade e confusão governativa que, passando pelo assassínio de Sidónio Pais, levaria a um percurso marcado pelos movimentos ditatoriais do pós-guerra, ao fracasso da democracia e do parlamentarismo.

THE EVENT

When the first World War began in 1914 the need for Portugal's involvement in the conflict was indisputable, and this involvement aggravated the existing divisions in the heart of the republican party.

National, colonial and republican interests pointed to an intervention in the war on the side of the allies and this was agreed by the democrats and evolutionists.

Unionists, monarchists and the clergy were opposed, arguing that to side with the allies was to side with an atheist and Masonic France, a Protestant and traitorous England, a schismatic Russia and, above all, with Afonso Costa, enemy number one!

At the beginning of 1916, Great Britain asked Portugal to hand over the dozens of German merchant ships that had taken refuge in the ports of the Portuguese continent, islands and overseas territories.

In February, Portugal agreed to this and, on 9th March, Germany declared war on Portugal.

It then became necessary to undertake the difficult task of organising an expeditionary force to fight in France, Angola and Mozambique. It was through the organising and directive ability of Norton de Matos, then Minister for War, that the so-called «Miracle of Tancos» occurred, that is, the preparation in a period of nine months of the C.E.P. (Portuguese Expeditionary Corps) which, at the beginning of 1917 disembarked in France and there covered itself in glory.

According to the Memorandum of Dr. Egas Moniz, President of the first Portuguese delegation to the Peace Conference on 11th November 1918, Portuguese losses amounted to 35,000 dead and seriously injured (not counting the innemurable victims to illnesses acquired during the campaign), and about 6,500 taken prisoner. The cost of the conflict to the Portuguese State exceeded Esc. 900.000.000$00 at that time.

The end of international hostilities left Portugal in a state of instability and governmental confusion which, with the assassination of Sidónio Pais, would lead to a period marked by post-war dictatorial movements, the failure of democracy and parliamentarism.

A ESTÁTUA

O monumento que homenageia a participação portuguesa na Primeira Guerra Mundial é da autoria de Maximiano Alves e foi inaugurado em 1933.

O escultor nasceu em 1888, completou o Curso da Escola de Belas-Artes de Lisboa em 1911 e faleceu

THE STATUE

The monument paying homage to Portugal's participation in the first World War, was the work of Maximiano Alves and was inaugurated in 1933.

The sculptor was born in 1888, graduated from the School of Fine Arts in Lisbon in 1911, and died in

1931. Escultor Maximiano Alves, Arquitecto Rebelo de Andrade *Avenida da Liberdade*

AO
SERVIÇO
DA
PATRIA
O
ESFORÇO
DA
GREI

9-3-1916
A
ALEMANHA
DECLARA
GVERRA
A
PORTVGAL
11-11-1918
ARMISTICIO
28-6-1919
PAZ
MAXIMIANO
ALVES
ESCULTOR
G. REBELLO
ANDRADE

no ano de 1954. Ao seu traço pertencem, entre outros, o monumento a França Borges e a estátua do soldado no túmulo dos combatentes.

O arquitecto Rebelo de Andrade e Maximiano executaram este monumento inspirados na legenda, esculpida na pedra, «Ao serviço da Pátria, o esforço da grei».

No belo conjunto escultórico, marcado por um jeito melodramático, pode ver-se a República coroando de louros um soldado português, enquanto duas figuras laterais em atitude de esforço e sacrifício, vergadas ao peso da parte superior do monumento, mantêm erguida a Pátria.

É bem o sentir da época. A representação simbólica dos custos em vidas e haveres que a participação no conflito fez pagar a Portugal.

Louvando o Corpo Expedicionário Português, lembrava-se o desespero que a morte de tantos tinha causado. A Nação agradecia em pedra o esforço heróico desses homens, quase abandonados no campo de batalha, nunca rendidos, e cuja derrota na Batalha do Lys, na Primavera de 1918, levou ao desbaratamento como corpo autónomo e à integração dos escassos sobreviventes no comando do Exército inglês.

1954. He was also responsible for, among others, the monument to França Borges and the statue of the soldier on the War Memorial.

The architect Rebelo de Andrade and Maximiano were inspired in their design for this monument by the words engraved on the stone: «In the Nation's service, the peoples' endeavour».

This wonderfully sculptured group, in marked melodramatic style, shows the Republic crowning a Portuguese soldier with a laurel wreath while two lateral figures in attitudes of struggle and hardship, bent under the weight of the upper section of the monument, hold the Nation upright.

It is a reflection of the times. The symbolic representation of the cost in lives and in kind suffered by Portugal as a result of her participation in the conflict.

While acclaiming the Portuguese Expeditionary Corps it recollects the despair felt over the deaths of so many. The Nation gave thanks in stone to the heroic efforts of those men, almost abandoned on the battlefield, never broken, whose defeat at the Battle of Lys in the Spring of 1918 led to their rout as an autonomous force and the integration of the few survivors in the British army.

O HOMEM

Bernardo Sá Nogueira Figueiredo, MARQUÊS DE SÁ DA BANDEIRA, nasceu em Santarém no ano de 1795 e morreu a 6 de Janeiro de 1876.

Brilhante como militar e político, era, no dizer de Alexandre Herculano, «o português mais ilustre do seu século».

Assentou praça muito jovem, em 1810, o que não o impediu, posteriormente, de cursar estudos superiores em Portugal, em França e em Inglaterra. Em 1828 assume-se na oposição aos miguelistas e foge para o estrangeiro, depois para os Açores, de onde regressa para participar no desembarque do Mindelo. Em 1929 é governador militar do Porto, aí participando na batalha do Alto da Bandeira, onde perdeu um braço. Dessa refrega lhe veio o título nobiliárquico com o mesmo nome. Várias vezes ministro da Marinha, foi chefe do Governo Setembrista e, em 1851, presidente do Conselho Ultramarino, onde, de uma forma notável, exerceu a sua acção em prol do Ultramar. Aboliu a escravatura, organizou o ensino oficial.

D. Pedro V volta a nomeá-lo chefe do Governo, em 1865, tendo ainda regressado ao Ministério da Marinha entre 1868-1870.

O monumento em sua memória retrata-lhe a vida e representa-o com o braço amputado, tendo ao pé um símbolo das colónias louvando-lhe o empenho.

THE MAN

Bernardo Sá Nogueira Figueiredo, MARQUIS OF SÁ DA BANDEIRA, was born in Santarem in 1795 and died on 6th January, 1876.

A brilliant military and political figure he was, to quote Alexandre Herculano «the most illustrious Portuguese of his century».

He joined the army in 1810 when he was very young, but this did not prevent him from taking advanced studies in Portugal, France and England, later on. In 1928 he was in opposition to the Miguelistas and as a result had to flee to foreign countries and then to the Azores, from where he returned to participate in the disembarkation of Mindelo. In 1829 he was Military Governor in Oporto where he took part in the Battle of Alto da Bandeira in the course of which he lost an arm. As a result of this skirmish he received his noble title. He was several times Minister of the Navy, the leader of the «September» government and, in 1851, President of the Overseas Council where, in an exemplary manner, he used his skills to the advantage of the overseas territories. He abolished slavery and organised the systm of schooling.

In 1865, D. Pedro V once again made him Head of Government and afterwards he returned to the Ministry of the Navy, from 1868/1870.

The monument in his memory reflects his life and represents him with the mutilated arm and a symbol from the colonies exalting his pann.

A ESTÁTUA

Inaugurada em 1884, na Praça D. Luís, o monumento ao Marquês de Sá da Bandeira saiu do cinzel do escultor italiano Giovanni Ciniselli e do traço arquitectónico de Germano José de Sales.

A trágica mutilação que o guerreiro valoroso sofreu, ao perder o braço direito no Cerco do Porto, não foi esquecida pelo escultor, que assim o representa em bronze.

THE STATUE

Inaugurated in 1884 in the Praça D. Luís, the monument to the of Marquis Sá da Bandeira was modelled by the Italian sculptor Giovanni Ciniselli from drawings by the architect Germano José de Sales.

The tragic mutiliation suffered by this brave warrior in the loss of his right arm at the siege of Oporto, was not overlooked by the sculptor.

1884. Escultor Cinizelli, Arquitecto José Sales — *Praça D. Luís*

O pedestal de mármore compõe-se de um bloco onde assentam grupos alegóricos, revestido nas duas faces de baixos-relevos alusivos aos feitos militares do marquês. A carga de cavalaria em Vile, o desembarque do exército libertador, a retirada da Galiza, a batalha do Alto da Bandeira, no Cerco do Porto e outras refregas. Junto de Sá da Bandeira um génio segura um facho. Ao lado do pedestal dois leões em bronze.

Na parte posterior da estátua a História e, na anterior, a figura de mulher representando o continente africano lembra o estadista que fez cessar o tráfico de escravos.

The marble pedestal is a block on which there are allegorical groups depicting on two façades in bas relief, scenes from the military exploits of the Marquis: the cavalry charge at Vile, the disembarkation of the liberating army, the retreat from Galiza, the battle of Alto da Bandeira during the siege of Oporto and other skirmishes. Next to Sá da Bandeira a figure holds a torch. At the sides of the pedestal, two bronze lions.

At the back of the statue is History and, in the front, a female figure representing the African continent is a reminder that the statesman put an end to the slave traffic.

O HOMEM

PEDRO ÁLVARES CABRAL nasceu no ano de 1467, era fidalgo da Corte e dedicado a estudos humanísticos.

A 9 de Março de 1500 largou do Restelo, comandando a mais bela e poderosa frota que até então partira do reino, composta de treze embarcações entre naus, navios e caravelas.

Em carta dirigida por D. Manuel aos Reis Católicos conta o monarca a descoberta do Brasil:

[...] o dito meu capitão com treze naus partiu de Lisboa 9 dias de Março do ano passado e nas oitavas da Páscoa (19 de Abril) seguinte chegou a uma terra que novamente descobriu, a que pôs o nome Santa Cruz, em que achou as gentes nuas como na primeira inocência, mansas e pacíficas, a qual pareceu que Nosso Senhor milagrosamente quer que se achasse porque é muito conveniente e necessária à navegação da Índia, porque ali corrigiu suas naus e tomou água [...]

Regressado ao reino, foi o navegador coberto de honrarias, que recusou, tendo-se retirado da Corte e indo residir até à sua morte, em 1520, numa propriedade que possuía perto de Santarém.

THE MAN

PEDRO ÁLVARES CABRAL was born in 1467, he was a Courtier and a dedicated student of the Humanities.

On 9th March 1500, he set off from Restelo in command of the most powerful fleet ever to set sail from the kingdom, consisting of thirteen ships comprising men-of-war, square-riggers and caravels.

In a letter from D. Manuel to the Catholic Kings, the monarch recounts the discovery of Brazil:

(...) my aforementioned captain, with thirteen ships, left Lisbon on the 9th day of March last year and, on the following 19th April reached a land to which he gave the name of Santa Cruz, where he found the people naked as in the first innocence, meek and pacific and whom it seemed that God miraculously wanted found, for it is very convenient and necessary for the passage to India as he was able to overhaul his ships and take on water (...)

On his return to the kingdom, the navigator was covered with honours, which he refused, leaving the Court and taking up residence until his death in 1520, on a property he owned near Santarém.

A ESTÁTUA

O monumento que recorda a descoberta do Brasil e a data de 1500 homenageia Pedro Álvares Cabral, foi esculpido pelo artista brasileiro Rudolfo Bernardelli e oferecido a Portugal pelo Brasil em 1940.

A estátua em bronze do descobridor está assente sobre uma base de pedra e mostra-nos Álvares Cabral de bandeira em punho, pés assentes sobre o monte descoberto e rodeado dos homens que o cercavam.

THE STATUE

The monument which records the discovery of Brazil in 1500 and is a tribute to Pedro Alvares Cabral, was modelled by the Brazilian artist Rudolfo Bernardelli and presented to Portugal by Brazil in 1940.

The bronze statue of the Discoverer has a stone base which shows Álvares Cabral holding a flag, feet firmly planted on the newly-discovered land, surrounded by men crowding round him.

1940. Rudolfo Bernardelli *Avenida Pedro Álvares Cabral*

O HOMEM

AFONSO DE ALBUQUERQUE pode ser considerado a maior figura da passagem de Portugal na Índia. Aí foi vice-rei entre 1508 e 1515. Dominou Ormuz, chave estratégica do golfo Pérsico e Maláca, porta aberta aos mares da China. Tendo conquistado Goa em 1510, tornou-a a sede da organização colonial portuguesa no Oriente. Foi ainda graças à sua visão que no seu tempo se iniciou um plano de integração racial, através da realização de casamentos inter-raciais. Nasceu em 1453 e morreu em 1515, tendo ficado conhecido com o nome de «Marte Lusitano». Navegador e conquistador, abriu rotas e mercados e marcou para sempre essas terras longínquas com a presença de Portugal.

THE MAN

AFONSO DE ALBUQUERQUE can be considered the greatest figure in the history of the Portuguese in India. He was Vice-Roy between 1508 and 1515. He controlled Ormuz, a strategic point for the Persian Gulf and Malacca, the open door to the China seas. Having conquered Goa in 1510 he made it the headquarters of the Portuguese Colonial organisation in the East. It was also thanks to his vision that, at this time, a plan for racial integration was initiated by means of inter-racial marriages. He was born in 1453, died in 1515, having become known as «Lusitanian Mars». Navigator and conqueror, he opened up routes and markets and stamped the presence of Portugal on those far-away lands for all time.

A ESTÁTUA

No centro da praça que celebra o seu nome ergue-se o monumento ao vice-rei da Índia. Homenagem do historiador Simão José da Luz Soriano, ele foi inaugurado em 1901, sendo a responsabilidade arquitectónica de Silva Pinto e a escultural de Costa Mota.

O monumento em estilo manuelino, tem na base quatro baixos-relevos que representam quadros históricos da vida de Afonso de Albuquerque: a entrega das chaves de Goa, a derrota dos Mouros em Malaca, a recepção do embaixador dos Reis de Narcinga e a representação do vice-rei ao lhe ser pedido pagamento de tributo em nome de Portugal, apresentando armas e respondendo «é esta a moeda com que o rei de Portugal paga os seus tributos».

No segundo corpo do monumento, também em baixos-relevos, se apresentam as naus, caravelas e galeões que haviam composto a esquadra do navegador. Aos quatro cantos figuras de anjos e, sobre este corpo, se levanta coluna com lavores manuelinos que termina na estátua em bronze do vice-rei, fundida no Arsenal do Exército.

THE STATUE

In the centre of the square that bears his name, stands the monument to the Vice-Roy of India. A tribute of the historian Simão José da Luz Soriano, it was inaugurated in 1901, the architect being Silva Pinto and the sculptor Costa Mota.

The monument is in the Manueline style, having around its base four bas-reliefs representing historic events in the life of Afonso de Albuquerque: the surrendering of the keys of Goa, the defeat of the Muslims in Malacca, the Reception of the Ambassador of the Kings of Narcinga and a scene depicting the Vice-Roy being asked for tribute payment in the name of Portugal, presenting arms and replying: «This is the coin with which the King of Portugal pays tribute».

On the second level of the monument, also in bas-relief, are the merchant ships, caravels and galleons that had made up the navigator's fleet. An angel at each corner and above this level rises the column decorated with Manueline designs and ending with the bronze statue of the Vice-Roy, which was cast in the Military Arsenal.

1901. Costa Mota *Praça Afonso de Albuquerque - Belém*

Anjo «Custódio de Portugal»

Estátua grandiosa com belos quadros escultóricos, retratando as batalhas travadas e gestos de submissão dos Indianos tem ainda no sopé figuras aladas que retratam as virtudes e a arrogância do conquistador. De toda a beleza se lamentará apenas que a figura de Afonso de Albuquerque mal se alcance no alto desse monumento esguio de pedra — três metros de bronze, onde o herói se mostra em postura aguerrida, apontando para o monte de armas colocadas a seus pés.

A grandiose statue with beautiful sculpted scenes portraying battles being fought and acts of submission by the Indians, it has also on its base winged figures representing the virtues and arrogance of the conqueror. Amid so much beauty it is only to be regretted that the figure of Afonso de Albuqueque is set so high on the top of this slender column — three meters of bronze with the hero shown in brave posture pointing at a heap of weapons at his feet.

As armas e os barões assinalados,
Que da Ocidental praia lusitana,
Por mares nunca dantes navegados,
Passaram ainda além da Taprobana.

Arms of the heroes, signalised in fame,
Who, from the western Lusitanian shore,
Beyond e'en Temperabana sailing came,
O'er seas that ne'er had traversed been before.

O HOMEM

Da vida e biografia de LUÍS VAZ DE CAMÕES nos faltam dados certos que permitam, com rigor, localizar datas e locais.

Alguns factos apurados, como prováveis, chegam-nos de memórias conservadas pelos primeiros biógrafos, que conheceram o poeta, ou contemporâneos dele.

Terá nascido em 1524 ou 1525, de uma família que se julga oriunda da Galiza. Quando novo era frequentador da vida boémia de Lisboa, envolvendo-se em brigas nocturnas com outros fidalgos arruaceiros. Acabou esta fase na prisão do Tronco, por causa de uma rixa em que feriu a golpe de espada um funcionário do Paço. Obteve a liberdade a troco de embarcar para a Índia, para onde seguiu em 1552 como simples soldado.

Também pelo Oriente fez vida agitada, percorrendo Goa, o golfo Pérsico, Macau, a costa da Cochinchina, onde naufragou, perdendo os haveres e salvando-se a nado com o manuscrito de «Os Lusíadas». Em 1567, enterrado em dívidas, vai para Moçambique, de onde regressa à Pátria no ano de 1569. Na bagagem traz apenas o seu poema épico, que negoceia no Paço e que lhe permite auferir uma tença trienal, modesta e nem sempre regular. Enquanto cancioneiros particulares manuscritos fazem correr as suas composições líricas, o poeta vive mal, praticamente na miséria, e à data da sua morte, em 1579, houve que solicitar de uma instituição de beneficiência, a Companhia dos Cortesãos, o pagamento do seu funeral.

Aquele que é considerado o maior poeta português deixou-nos uma obra multifacetada, abrangendo diversas correntes artísticas e ideológicas do século XVI, e dando forma a todo o conjunto de valores, ideias e tópicos característicos da sua época.

Viajante, letrado, humanista, trovador, inquieto e vadio, numa mão a pena, noutra a espada, Camões assumiu e viveu a experiência de toda uma civilização.

Além de «Os Lusíadas», publicado em 1572, só se publicaram em sua vida três poemas líricos: a ode ao conde de Redondo; o soneto «Vós, ó ninfas da gangética espessura» e a elegia «Depois que Magalhães teve tecida».

THE MAN

Of the life and biography of LUÍS VAZ DE CAMÕES certain exact information is missing to pin-point dates and places. Some facts, which appear probable, come from his early biographers, who knew the poet, and his contemporaries.

He was born in either 1524 or 1525 of a family thought to have come from Galiza. As a young man he participated in the bohemian life of Lisbon, becoming involved in nocturnal escapades in the company of other mutinous noblemen. This phase came to an end in the Tronco prison because of a brawl in which he wounded a palace functionary with a sword. He was given his freedom in exchange for a passage to India and went there in 1552 as an ordinary soldier. He continued to live a turbulent existence visiting Goa, the Persian Gulf, Macau, and the coast of Cochinchina, where his ship foundered. Losing all his belongings, he saved himself by swimming away, carrying with him his manuscript of «The Lusiads». In 1567, hopelessly in debt, he went to Mozambique from where he returned to his homeland in 1569. In his baggage he only carried his epic poem with which he negotiated in the Palace and obtained a modest and irregularly paid quarterly pension. While ballad writers used his lyrical compositions, the poet lived in poverty and misery and, when he died in 1579, a charitable organisation, the Companhia dos Cortesãos, had to be solicited for payment of his funeral.

He who is considered the greatest Portuguese poet, left a multi-faceted work covering diverse artistic and ideological currents of the XVI century, bringing together the values, ideas and topics characteristic of that period.

A traveller, man of letters, humanist, troubadour, restless and wandering, his pen in one hand his sword in the other, Camões assumed and lived the experiences of a whole civilization.

As well as «The Lusiads», published in 1572, only three lyric poems were published in his lifetime: the Ode to the Count of Redondo, the sonnet «Vós, ó ninfas da gangética espessura» and the elegy «Depois que Magalhães teve tecida»

1867. Vítor Bastos *Largo de Camões*

A ESTÁTUA

Construídos nos anos finais do romantismo, os quatro monumentos mais consideráveis de Oitocentos são um auto-elogio social bem conforme ao estilo da arte da época: o Arco da Rua Augusta, a estátua de Camões, o monumento a D. Pedro IV e o da Restauração.

O monumento a Camões foi inaugurado em 28 de Junho de 1867 e é do escultor Vítor Bastos.

Na iconografia pré-romântica de Camões a estátua tem valor seguro e corresponde, ideologicamente, a uma simbologia patriótica de cariz saudosista.

THE STATUE

Constructed in the final years of Romanticism, the four most notable statues out of eight hundred are social self-eulogies in keeping with the artistic style of the period: The Archway of Rua Augusta, the statue of Camões, the monument to D. Pedro IV and the Restauradores.

The monument to Camões was inaugurated on 28th June 1867, the sculptor being Vitor Bastos.

In the pre-Romantic iconography of Camões, the statue has assured value and corresponds, ideologically, to a patriotic symbolism of nostalgic nature.

A grande figura de quatro metros esculpida em bronze assenta sobre um pedestal oitavado em 7,5 metros, rodeado de oito estátuas de 2,40 metros em pedra lioz e representando vultos notáveis da cultura e das letras: o historiador Fernão Lopes, o cosmógrafo Pedro Nunes, o cronista Gomes Eanes de Azurara, os historiadores João de Barros e Fernão Lopes de Castanheda, e os poetas Vasco Mouzinho de Quevedo, Jerónimo Corte-Real e Francisco de Sá de Meneses.

O poeta é representado de capa e espada, sendo, já na altura, muito discutida esta representação, bem como o critério que presidiu à escolha das figuras que o acompanham, recolhidas numa gravidade sentida e com modelos de vestuário a lembrar peças de teatro.

The great figure, in bronze, four meters high, stands on a 7.50 m octagonal plinth, surrounded by eight statues, 2.4 m tall in sandstone, which represent notable people in the sphere of culture and the arts: the historian Fernão Lopes, the cosmographer Pedro Nunes, the chronicler Gomes Eanes de Azurara, the historians João de Barros and Fernão Lopes de Castanheda and the poets Vasco Mouzinho de Quevedo, Jerónimo Corte-Real and Francisco de Sá de Meneses.

The poet is shown with cloak and sword, this representation of him having been much debated even in that period, as well as the criteria followed in choosing the figures surrounding him of severe mien and wearing theatrical costume.

Onde as figuras que a sua poesia criou, os navegadores e os homens que cantou, as epopeias, os versos?...

Feita ao gosto da época, no traço seguro de Vítor Bastos, o monumento é grandioso e não põe em causa o valor do poeta, colocando-o à distância certa, não tão alto que o contacto com o público se perca; não tão baixo que lhe rebaixe a grandeza!

Where are the figures created by his poetry, the navigators and the men of his epics and verses?

Designed in the style of the period by Vitor Bastos, the monument is grandiose and there is no doubting the poet's merit, placing him in an appropriate position: not so high as to lose contact with the public; not so low as to diminish his importance.

O HOMEM

D. PEDRO IV era filho de D. João VI e de Dona Carlota Joaquina. Nasceu em 1798, em pleno florescimento das ideias liberais que os ventos da França nos faziam chegar.

Criança ainda, acompanhou ao Brasil a família real em fuga das tropas napoleónicas e, em 1821, aí o deixa seu pai como Regente.

Tornar-se-ia o primeiro imperador do Brasil, a 12 de Outubro de 1822, e após alguns reencontros com tropas portuguesas, que se negavam a reconhecê-lo, proclama em 18 de Novembro de 1823 a independência daquele país.

Morto D. João VI, ascende ao trono português e assume as suas concepções políticas, outorgando, em 29 de Maio de 1826, a Carta Constitucional, tornando-se com este gesto o herói das lutas liberais, o defensor do reino contra o absolutismo de D. Miguel.

D. Pedro foi casado pela primeira vez com Dona Maria Leopoldina, arquiduquesa da Áustria, e, falecida esta, em segundas núpcias com Dona Amélia de Leuchtenberg. Foi pai de dezoito filhos.

Acusado em Portugal de defender o Brasil e no Brasil de só se preocupar com Portugal, abdicou além-mar a 7 de Abril de 1831 a favor de seu filho D. Pedro e cá a favor de sua filha Dona Maria da Glória, que reinou com o título de Dona Maria II.

El-rei D. Pedro morreu em Queluz a 24 de Dezembro de 1834... Pedro I do Brasil, Pedro IV de Portugal.

THE MAN

D. PEDRO IV was the son of D. João VI and Dona Carlota Joaquina. He was born in 1798 at the time when French liberal ideas were reaching Portugal.

As a child he travelled with the Royal Family to Brazil when they fled from the Napoleonic troops and, in 1821, he was left in that country as Regent, by his father.

On the 12th October 1822 he became the first Emperor of Brazil and, after a few skirmishes with Portuguese troops who refused to recognise his new status, he proclaimed the independence of Brazil on 18th November 1823.

On the death of D. João VI he ascended the throne of Portugal and put into practice his political beliefs, granting on 29th May 1826 a Constitutional Charter by which gesture he became the hero of the liberal struggle and the defender of the realm against the absolutism of D. Miguel.

D. Pedro was married, for the first time, to Dona Maria Leopoldina, Archduchess of Austria and, on her death, he married Dona Amélia de Leuchtenberg. He fathered eighteen children.

Accused in Portugal of protecting Brazil and in Brazil of only concerning himself with Portugal, he abdicated his sovereignty overseas in favour of his son D. Pedro on 7th April 1831 and, at home, in favour of his daughter Dona Maria da Glória who reigned as Dona Maria II.

D. Pedro died in Queluz on 24th December 1834... Pedro I of Brazil, Pedro IV of Portugal.

A ESTÁTUA

O monumento da autoria do arquitecto Gabriel Davioud e do escultor Elias Robert, inaugurado em 1870, ergue-se perfeito no centro da praça, com um pedestal de proporções exactas de estrutura piramidal, animado por quatro estátuas fazendo os ângulos: a Prudência, a Justiça, a Fortaleza e a Moderação.

THE STATUE

The monument, by the architect Gabriel Davioud and the sculptor Elias Robert, inaugurated in 1870, stands in the very centre of the square, having a perfectly proportioned pedestal of pyramidal design decorated with four statues at its corners: Prudence, Justice, Fortitude and Moderation.

1886. Escultor Elie Robert, Arquitecto Davioud *Largo D. Pedro IV - Rossio*

Tem 27,5 metros de altura e é composto de estátua em bronze, coluna em pedra de lioz de Pêro Pinheiro e pedestal em mármore de Montes Claros.

Intriga burlesca surgida na época fez constar que a estátua não representava D. Pedro, mas Maximiliano do México, fuzilado entretanto e que, por mera economia, tivesse sido vendida ao «desbarato» a Portugal.

It is 27,5 m in height and consists of a bronze statue, a column in sandstone from Pero Pinheiro and a base in marble from Montes Claros.

Common gossip at that time suggested that the statue did not represent D. Pedro but Maximilian of Mexico who had, in the meantime, met his death by shooting, and that for purely economic reasons the statue had been sold cheaply to Portugal.

Boato que ainda hoje é ouvido, por vezes com foros de autenticidade, nada mais é que intriga do tempo e a estátua é realmente a figura do rei português empunhando a Carta Constitucional.

O monumento a el-rei D. Pedro, que Rio de Janeiro e Lisboa sonhavam erguer, tardou a concretizar-se.

A ideia nasceu em Lisboa, logo após a morte do Regente, em 1834, por proposta de Palmela na Câmara dos Pares, e foi Joaquim Rafael quem se apressou a propor três modelos para o «libertador».

Anos volvidos, em 1851, erguer-se-ia no meio do Rossio um pedestal, tanto tempo desocupado, que o povo lhe chamava «galheteiro»... destinado a uma estátua que nunca mais era executada!

A rumour still to be heard today, sometimes supported by authentic evidence, it is nothing but the gossip of the period and the statue is really that of the Portuguese king, holding the Constitutional Charter.

The monument to king Pedro that Rio de Janeiro and Lisbon dreamed of erecting was a long time in becoming a reality.

The concept began in Lisbon, after the death of the Regent, in 1834. It was proposed by Palmela in the «Câmara dos Pares» and Joaquim Rafael hastened to submit three models of the «liberator».

Years later, in 1851, a pedestal was placed in the centre of the Rossio which remained unoccupied for so long that is was called the «cruet», destined never to be occupied.

Finalmente, goradas várias tentativas, abre-se em 1864 concurso internacional ao qual se apresentam 87 projectos, vindos de Itália, França, Inglaterra, Bélgica, Holanda, Alemanha e Rússia.

O júri levou mais de 50 sessões a discutir a escolha, vindo esta, afinal, a ser considerada pelos eruditos da época a mais acertada.

Finally, after various attempts, an international competition was opened in 1864 for which 87 projects were submitted, from Italy, France, England, Belgium, Holland, Germany and Russia.

The jury held 50 meetings to achieve a final decision which was, in the opinion of the scholars of the period, the right one.

O ACONTECIMENTO

Data-se a Restauração pelo dia 1.° de Dezembro de 1640 quando, fidalgos portugueses conspirando contra o domínio espanhol, convergiram do Terreiro do Paço, assassinam os guardas, matam três responsáveis pelas atrocidades últimas, e prendem Margarida de Sabóia, duquesa de Mântua, governadora de Portugal.

O povo ao saber da arrojada acção revolta-se em massa e, do alto do balcão do Paço, D. Miguel de Almeida proclamou a realeza do Duque de Bragança.

Enquanto D. João não chegava a Lisboa, o que só viria a acontecer na noite de dia 6, formou-se uma junta de governadores que estabeleceram fronteiras e a gestão imediata do reino.

O duque veio a ser coroado na Sé no dia 15 de Dezembro, mas o processo de Restauração da independência havia de demorar 28 anos de lutas, saques e sacrifícios, que só viriam a terminar com o Tratado de Madrid, em 1668, pelo qual a Espanha reconheceu a independência portuguesa. O rei D. João IV, iniciador da dinastia, faleceu em Novembro de 1656, sem ver reconhecida a vitória da luta que travara.

THE EVENT

The date given to the Restoration is 1st December 1640 when Portuguese noblemen, conspiring against Spanish domination, converged from the Terreiro do Paço, assassinated the guards, killed three people responsible for recent atrocities and imprisoned Margarida of Savoy, Duchess of Mantua, Regent of Portugal.

The people, on hearing of this audacious act, staged their own revolt and, from the balcony of the Palace, D. Miguel de Almeida proclaimed the sovereignty of the Duke of Bragança.

Before D. João arrived in Lisbon, which only happened on the night of the 6th, an administrative council of governors was formed to establish the frontiers and immediate administration of the kingdom.

The Duke was crowned in the cathedral on 15th December but the process of restoring independence was to take a further 28 years of fighting, sackings and sacrificies which only ended with the Treaty of Madrid, in 1668, as a result of which Spain recognised the independence of Portugal. The king, D. João IV, founder of the dynasty, died in November 1656 before seeing official recognition of the victory he had won.

A ESTÁTUA

O monumento dos Restauradores consagra a Revolução de 1640, e inaugurou-se em 28 de Abril de 1886, segundo o projecto de António Tomás da Fonseca. Foi construído por Sérgio Augusto de Barros.

É um grande e belíssimo obelisco de 30 metros que tem, no envasamento do pedestal, viradas a norte e a sul, duas estátuas em bronze animadas de movimento.

THE STATUE

The monument to the Restoration which consecrates the revolution of 1640, was inaugurated on 28th April 1886 from a project of António Tomás da Fonseca.

It is a very large and beautiful obelisk, 30 meters in height, showing on the base of the pillar, facing north and south, two bronze statues.

1886. António Tomás da Fonseca, Alberto Nunes e Simões de Almeida *Praça dos Restauradores*

GÉNIO DA VITÓRIA — Simões de Almeida

Uma das estátuas alegóricas representa o Génio da Independência, mancebo alado, quebrando num arranque de agilidade e força os grilhões da servidão. Obra devida ao génio do escultor Alberto Nunes.

Na face norte, o Génio da Vitória, da autoria de Simões de Almeida, e figura seminua de mulher alada, empunhando na mão direita, erguida ao alto, uma coroa, e na esquerda uma palma.

Nas faces do pedestal e do obelisco gravaram-se os nomes e as datas das principais batalhas da Restauração: Linhas de Elvas (1659), Ameixial (1663), Castelo Rodrigo (1664), Montes Claros (1665).

One of them represents the Spirit of Independence, a winged youth tearing asunder the chains of slavery, with a powerful jerk. This is the inspired work of the sculptor Alberto Nunes.

On the northern façade, the Spirit of Victory, by Simões de Almeida, shows the figure of a semi-nude winged woman holding a crown in her raised right hand and a palm frond in her left.

On the façades of the pedestal and the obelisk are engraved the names and dates of the principal battles of the Restoration: The Lines of Elvas (1659), Ameixial (1663), Castelo Rodrigo (1664), Montes Claros (1665).

GÉNIO DA INDEPENDÊNCIA — Alberto Nunes

O HOMEM

O INFANTE D. HENRIQUE foi um dos filhos de D. João I e de D. Filipa de Lencastre, neta de Eduardo III de Inglaterra e senhora de invulgares preocupações culturais.

Ela fez dos filhos, no dizer de Camões, a «ínclita geração».

D. Duarte, escritor e político; D. Pedro, de cujas viagens se formou lenda, compôs um tratado sobre moral «A virtuosa Benfeitoria»; D. Fernando, que o cativeiro tornou mártir; D. Henrique, calado, tenaz, disciplinado e duro, que foi o propulsor dos descobrimentos.

Nasceu em 1394 e morreu em 1460, deixando ao partir um mundo mais vasto, diferente e aberto às mais estranhas influências.

Ele vai, «o Navegador», caracterizar a sua época com a expansão ultramarina, a resolução do problema europeu do comércio do Oriente, a revolução da ciência de navegação e náutica.

O Infante D. Henrique lançou Portugal para uma aventura única na História e marcou para sempre a cultura e a vocação além-fronteiras dos Portugueses.

THE MAN

The INFANTE D. HENRIQUE was one of the sons of D. João I and D. Philippa of Lancaster, granddaughter of Edward III of England, a very learned and talented woman.

She made her sons, to quote Camões, into an «illustrious generation»: D. Duarte, writer and politician; D. Pedro, whose voyages became legendary, wrote a treatise on morality «The Virtuous Benefactress»; D. Fernando whom captivity turned into a martyr; D. Henrique, quiet, tenacious, disciplined and strong who became the impelling force behind the Discoveries. Born in 1394, he died in 1460 leaving behind him a vaster, different world open to foreign influences.

«The Navigator» was to mark his era with overseas expansion, to solve the European problem of trade with the East, to revolutionise the science of navigation and sailing.

The Infante D. Henrique set Portugal on the road to an unique historical adventure and forever established her culture and the interests of the Portuguese beyond her frontiers.

O MONUMENTO

Há na história dos descobrimentos marítimos uma magia tão especial que leva historiadores, escritores, poetas e gentes a nela se debruçarem, a quererem desvendar o rosto das estátuas, os símbolos inscritos nas pedras, a buscarem a localização da vila do Infante, a viverem no eco da primeira bandeira, o primeiro padrão, o primeiro desembarque.

Portugal abriu rotas, marcou o mar desconhecido com direcções e rumos, deu nome a terras, ilhas, cabos, ventos e tempestades. País de marinheiros e pescadores, aconchegado ao mar que lhe dava a aventura que a fronteira com a Espanha, obviamente, lhe negava, Portugal só tinha uma porta e uma saída, e ela desenhava-se numa maré que uma quilha rompia.

THE MONUMENT

There is such a special magic about the history of maritime discoveries that it makes historians, writers, poets and others want to become involved in them, to unmask the faces of the statues, the symbols engraved on stone, to search for the place where the Infante lived, to share in the glory of the first flag, the first stone monument, the first disembarkation.

Portugal opened up sea routes, she marked the unknown seas with directions and courses, gave names to lands, islands, capes, winds and storms. A nation of sailors and fishermen, living close by the sea that supplied the adventure her frontier with Spain obviously denied her, Portugal had only the one outlet, one route to follow and the way was drawn on the sea by the keel of a ship.

1960. Escultor Leopoldo de Almeida, Arquitecto Conttinelli Telmo *Belém*

É esta a mensagem que perpassa como um todo do belo Monumento aos Descobrimentos. Rostos virados à lonjura, nau erguida em desafio a toda a simbologia de marinheiros, cartógrafos, capitães e letrados, um povo inteiro entregue à voragem do desconhecido e ao alibi da expansão da Fé. Era um país pequeno que se multiplicava por terras muitas vezes maiores que o território de origem, era um mercado de especiarias e ouro e sedas exóticas, era o Poder de um reino que, longe de mais para ser sonhado, assim era reconhecido.

This is the message symbolised in the splendid monument to the Discoveries. Faces turned towards the distance, a ship lifting to the challenge and all the symbolism of sailors, cartographers, captains and learned men, a whole nation rendered to the unknown and to the spreading of the Faith. She was a small country that multiplied herself over lands many times larger, a marketplace for spices and gold, and exotic silks, kingdom whose power, out of dreaming, was recognised everywhere.

Foram várias as tentativas e «decisões» para a construção de um monumento ao Infante D. Henrique, que ao mesmo tempo louvasse o Homem e a epopeia marítima por ele iniciada.

Dois primeiros concursos, em 1933-35 e 1936-38, abortaram, apesar de amplamente concorridos por autores de nomeada, nacionais e estrangeiros. Dezasseis anos mais tarde, em 1954, com um orçamento de trinta e cinco mil contos e um vasto júri, de novo se abre a quarenta e nove projectos o desafio desta homenagem.

É então premiado o estudo de João Andresen com a escultura de Barata Feyo.

Many were the attempts made and decisions taken for the construction of the monument to Prince Henry which would, at the same time, praise the man and the maritime epic initiated by him.

The two first bids for tenders for the design, in 1933-35 and 1936-38 came to nothing in spite of being extensively competed for by well-known designers, both national and foreign. Sixteen years later, in 1954, with a budget of thirty-five millions escudos and a large jury, forty-nine further designs for this great tribute were submitted. At last, the design chosen was won by João Andresen with Barata Feyo as sculptor.

Ainda desta vez, porém, faltou a decisão governamental, e só em 1958 veio a ser deliberado erguer em Belém, com um orçamento reduzido a metade, o Padrão dos Descobrimentos de Cottinelli Telmo e Leopoldo de Almeida.

Leopoldo de Almeida gravou na pedra trinta e dois reis, navegantes, frades, sábios e conquistadores, que em duas rampas confluentes avançam para o Infante, que se ergue em desafio à proa de uma caravela.

However, even on this occasion the final governmental approval was missing and it was only in 1958 that it was decided to erect in Belém, with a budget reduced by half, the stone monument to the Discoveries by Cottinelli Telmo and Leopoldo de Almeida.

Leopoldo de Almeida carved out of the stone the figures of thirty-two kings, navigators, monks, learned men and conquerors which, on two confluent ramps ascend towards the Prince, who stands challengingly on the prow of a caravel.

Diogo Cão, Bartolomeu Dias, Corte-Real, Fernão de Magalhães, Álvares Cabral, Vasco da Gama, Zarco, Gil Eanes, Afonso de Albuquerque, Pedro Nunes, Camões, Nuno Gonçalves, os infantes D. Pedro e D. Fernando, D. Afonso V e D. Filipa de Lencastre, e outros vultos da época, repetem uma iconografia associada aos feitos que o centenário festejado comemorava e que ilustra os valores relembrados pelo Estado Novo.

Diogo Cão, Bartolomeu Dias, Corte-Real, Fernão de Magalhães, Álvares Cabral, Vasco da Gama, Zarco, Gil Eanes, Afonso de Albuquerque, Pedro Nunes, Camões, Nuno Gonçalves, the Princes D. Pedro and D. Fernando, D. Afonso V and Dona Philippa of Lancaster and other figures of the period represent an image associated with the feats which the centenary commemorated and illustrates the remembered glory of that period.

Inaugurado em 1960 para comemorar o V Centenário da morte do Infante D. Henrique, a obra foi concebida pelo arquitecto Cottinelli Telmo, com estatuária de Leopoldo de Almeida.

O escultor nasceu em Lisboa no ano de 1898 e cursou a Escola de Belas-Artes, tendo completado estudos em França e Itália. A obra moderna, de estilo sóbrio e raro detalhe artístico é, com algumas outras assinadas pelo mestre, a marca de um estilo. São dele «O Fauno», «O Vencido», «D. João I».

O escultor faleceu em Lisboa a 28 de Abril de 1975.

Inaugurated in 1960 to commemorate the fifth centenary of the death of the Infante D. Henrique, the monument was designed by Cottinelli Telmo, the sculptor being Leopoldo de Almeida.

The sculptor was born in Lisbon in 1898 and attended the School of Fine Arts, completing his studies in France and Italy. This modern work, sober in style and of rare artistic detail is, like some of the master's other works, the hallmark of a style. Other works by the same artist are: «The Fawn», «The Vanquished», «D. João I».

The sculptor died in Lisbon on 28 April 1975.

«Sobre a nudez forte da verdade
o manto diáfano da fantasia»

*«Over the stark nakedness of truth
The diaphonous cloak of fantasy»*

A frase com que o maior prosador português do século XVIII epigrafou a sua obra «A Relíquia», serviu de inscrição à base da sua estátua, uma das mais belas criações do escultor Teixeira Lopes.

Nela se debruça Eça de Queiroz, atento sobre a verdade, representada por um lindíssimo corpo feminino.

A estátua, com a sua alegoria, bem pode retratar a constante luta interior travada pelo autor, entre as exigências do realismo da época e o pendor natural da fantasia.

JOSÉ MARIA EÇA DE QUEIROZ nasceu na Póvoa de Varzim a 25 de Novembro de 1845, filho natural de família abastada e culta.

Dizia de si próprio, com ironia, o fino observador da realidade: «Eu sou como a República do Vale de Andorra, não tenho história.»

Cursou Direito em Coimbra, foi actor do teatro académico e aí se deixou envolver no turbilhão de ideias que assolava a velha Academia, sem que, porém, deixasse de assumir, perante a sua época e os acontecimentos que a marcavam, a atitude de espectador frio e irónico, descomprometido e distante.

Em 1866 funde e dirige o jornal «O Distrito de Évora», do qual chega a ser direcção e redacção por inteiro, o que lhe viria a proporcionar uma disciplina e fecundidade de escrita invulgar e notável.

Depois é o estrangeiro e a sedução do exótico, assiste à inauguração do canal de Suez e nas visitas aos lugares santos se inspira para o folhetim «A Morte de Jesus», a obra «A Revolução de Setembro», «A Relíquia», o belo conto «O Suave Milagre».

Em 1870 é nomeado administrador de Leiria e nessa cidade colhe os tipos humanos que irão dar corpo a um dos seus mais conhecidos romances: «O Crime do Padre Amaro».

Depois foi o início de uma carreira diplomática há muito desejada e entre Londres e Paris iria viver praticamente o resto da sua vida.

Faleceu a 16 de Agosto de 1900 em Paris, deixando a marcar a sua vida uma obra literária de enorme interesse, repleta de algumas das mais belas páginas de literatura portuguesa.

Integrado na grande corrente da época que englobou em França nomes como os de Flaubert, Balzac e Zola, Eça de Queiroz nada lhes fica a dever e o ideal de perfeição que laboriosamente cultivou salta ao encontro dos leitores pela boca das personagens dos seus romances, perfeitos e cristalinhos.

The phrase with which the greatest Portuguese prose writer of the XVIII c. inscribed his work «The Relic» served as the inscription at the base of his statue, one of the finest creations of the sculptor Teixeira Lopes.

Upon it Eça de Queiroz leans attentively over Truth, represented by a beautiful female form.

The allegorical statue may well illustrate the battle waged within the author between the demands of realism of the period and his natural inclination towards fantasy.

JOSÉ MARIA EÇA DE QUEIROZ was born in Póvoa de Varzim on 25 November 1845, the son of a wealthy and cultured family.

He used to say, ironically, about himself: «I am like the Republic of the Valley of Andorra, I have no history».

He read Law at Coimbra University, acted in the Academic theatre and there became involved in the turbulent ideas that assailed the old Academy although, however, standing back from the events that marked this period with an attitude of cold and ironic spectator, distant and uninvolved.

In 1886 he founded and directed the newspaper «The District of Évora» of which he became editor and reporter which taught him discipline and turned him into an unusually and notably prolific writer.

Then came travel and the seduction of exotic places. He was present at the inauguration of the Suez Canal and, as a result of his visits to holy places he was inspired to write «The Death of Jesus», «The September Revolution», «The Relic», and the lovely tale, «The Gentle Miracle».

In 1870 he was appointed Administrator of the town of Leiria and there he encountered the human characters who were to come to life in one of his best known novels: «The Crime of Padre Amaro».

He then began a greatly desired career in the diplomatic service and began to live the rest of his life between London and Paris.

He died in Paris on 16th August 1900 after a life that was marked by literary works of great interest filled with some of the most beautiful passages in Portuguese literature.

Although he was one of the elements of that great period in French literature which included such names as Flaubert, Balzac and Zola, Eça de Queiroz was not influenced by them and the ideal of perfection which he laboriously cultivated is evident in the language of the characters in his novels, perfect and crystalline.

1903. Teixeira Lopes *Largo Barão de Quintela*

«Se depois de eu morrer, quiserem escrever a minha biografia,
Não há nada mais simples.
Tem só duas datas — a da minha nascença e a da minha morte.
Entre uma e outra cousa todos os dias são meus.»

ALBERTO CAEIRO

«If, after I am dead, they wish to writy my biography,
Nothing could be more simple.
There are only two dates — of my birth and of my death.
Between the two all the days are mine».

ALBERTO CAEIRO

«Não ser nada, ser uma figura de romance,
Sem vida, sem morte material, uma ideia,
Qualquer cousa que nada tornasse útil ou feia,
Uma sombra num chão irreal, um sonho num transe.»

ÁLVARO DE CAMPOS

«To be nothing, to be a character in a novel,
Without life, without material death, an idea,
A thing that could not be useful or ugly,
A shadow on an imaginary floor, a dream in a trance».

ÁLVARO DE CAMPOS

«A glória pesa como um fardo rico,
A fama como a febre,
O amor cansa, porque é a sério e busca,
A ciência nunca encontra,
E a vida passa e dói porque o conhece...
O jogo do xadrez
Prende a alma toda, mas, perdido, pouco
Pesa, pois não é nada.»

RICARDO REIS

«Glory weighs like a rich burden,
Fame like a fever,
Love tires, because it is serious and demanding,
Science never discovers,
And life passes by and hurts because it knows...
The game of chess
Possesses the soul, but lost, little
Matters, for it is nothing».

RICARDO REIS

«De resto, a minha vida gira em torno da minha
obra literária — boa ou má, que seja, ou possa ser.
Tudo o mais na vida tem para mim um interesse secundário.»

FERNANDO PESSOA

«For the rest, my life turns round my
Literary work — good or bad, as it is, or may become.
Everything else in life, to me, is of secondary Importance».

FERNANDO PESSOA

Assim se desdobra FERNANDO ANTÓNIO NOGUEIRA PESSOA, poeta e ensaísta, nascido em Lisboa a 13 de Junho de 1888, que, procurando «sentir tudo de todas as maneiras», se fragmenta em várias sensibilidades e se constrói em heterónimos cuja vida e percurso descreve, dando-lhes a consistência do real.

RICARDO REIS é médico e nasceu no Porto em 1887, tendo-se fixado no Brasil.

ALBERTO CAEIRO não teve profissão nem educação, nasceu em Lisboa, viveu quase toda a vida no campo e desaparece em 1915.

ÁLVARO DE CAMPOS, que nasceu em Tavira a 15 de Outubro de 1890, é engenheiro naval, e numas férias fez uma viagem ao Oriente, de onde resultou o «Opiário»... Ensinou-lhe Latim um tio beirão que era padre.

Nasceram os heterónimos com os textos. São diferentes não só as ideias, mas as técnicas de composição, os estilos.

Alberto Caeiro é o mestre que todos os outros seguem ou ao qual se opõem.

É muito vasta a obra complexa deste escritor que, ainda hoje, desafia o interesse de críticos e estudiosos.

In this way, FERNANDO ANTÓNIO NOGUEIRA PESSOA, poet and essayist, born in Lisbon on 13th June 1888, seeking to «feel everything in every way», evolves in various personalities and becomes different characters, the course of whose lives he describes, giving to them the consistency of reality.

RICARDO REIS is a doctor and was born in Oporto in 1887, having gone to live in Brazil.

ALBERTO CAEIRO has no profession or education, born in Lisbon, lives in the country for most of his life and dies in 1915.

ÁLVARO DE CAMPOS, who was born in Tavira on 15th October 1890 is a naval engineer and took a holiday in the East which inspired him to write the «Opiary»... He was taught Latin by an uncle from the Beiras, a priest.

These diverse characters develop according to the texts. Not only are the ideas different, but also the tecnique of composition, the style. Alberto Caeiro is the master whom all the others follow, or to whom they are opposed.

The complex work of this author is vast. Even today, it is a challenge to critics and men of letters.

Lagoa Henriques

Largo do Chiado

Morreu em Lisboa a 30 de Novembro de 1935 no Hospital de S. Luís dos Franceses, mas não morreu o impacto único da sua obra. Em sua vida publicou um só livro de poemas portugueses, «A Mensagem», editado em 1934.

A estátua que, na capital, lembra Pessoa recorda-o sentado à mesa do Café Brasileira, onde muitas vezes escrevia os seus textos e filosofava com os amigos sobre a época em que vivia.

Fernando Pessoa died in Lisbon on 30th November 1935 in the French hospital of S. Luiz, but the unique impact of his work did not die.

During his lifetime he only published one book of Portuguese poems: «The Message», printed in 1934.

The statue in Lisbon which immortalises Pessoa shows him sitting at a table of the café Brasileira where he often did some of his writing and philosophised with his friends on the times in which they lived.

1950. Barata Feyo *Avenida da Liberdade*

ALEXANDRE HERCULANO

ALEXANDRE HERCULANO DE CARVALHO E ARAÚJO, expoente do romantismo, nasceu a 28 de Março de 1810 e vai-se distinguir fundamentalmente como historiador.

Interveniente activo e atento, gasta-se em lutas políticas, que entremeia de romances históricos.

Homem de uma integridade reconhecida na época, emigra e só regressa ao país para treçar armas, ao lado dos soldados do Mindelo, comandados por D. Pedro II, em luta pela liberdade.

Recusa títulos e condecorações e, de uma fidelidade ingénua a ideais e compromissos, acaba por, desiludido, se refugiar em Vale de Lobos, onde escreveu as suas obras de diálogos curtos, incisivos, ambientes primorosamente retratados e um rigor de vocábulo que o tornam único.

É de Barata Feyo a estátua em mármore que lhe recorda a memória e foi inaugurada em 1950 por iniciativa da Câmara Municipal de Lisboa.

ALEXANDRE HERCULANO DE CARVALHO E ARAÚJO, exponent of romanticism, was born on 28th March 1810 and was best known as an historian.

Active in political struggles, in the interims he wrote historical novels.

A man whose integrity was universally recognised, he emigrated and only returned to Portugal to take up arms in the cause of liberty, alongside Mindelo's soldiers, commanded by D. Pedro II.

He refused titles and decorations and, with an ingenuous faithfulness to ideals and obligations he became disillusioned and took refuge in Vale de Lobos where he wrote his short and incisive dialogues, perfectly portrayed environments, with a unique command of the language.

Barata Feyo is responsible for the marble statue to his memory, inaugurated in 1950 through the initiative of the Municipal Council.

1950. Leopoldo de Almeida *Avenida da Liberdade*

ANTÓNIO FELICIANO DE CASTILHO

ANTÓNIO FELICIANO DE CASTILHO nasceu em Lisboa a 28 de Janeiro de 1800, e foi com Garrett e Herculano um dos três grandes escritores portugueses a marcar profundamente a primeira época do romantismo. Apesar de ter ficado cego com a idade de seis anos, estudou Humanidades na Universidade de Coimbra e muito cedo começou a escrever, tendo publicado, aos 16 anos, «Epicédio na morte da augustíssima senhora D. Maria I». A sua obra «A Noite do Castelo» é considerada o expoente mais exageradamente romântico da época.

Tem uma vastíssima edição publicada em 1903 pela Empresa da História de Portugal e foi fundador da «Revista Universal Lisbonense», que ficou célebre na história do periodismo português. O escritor morreu em Lisboa no ano de 1875.

ANTÓNIO FELICIANO DE CASTILHO was born in Lisbon on 28th January 1800 and was, with Garret and Herculano, one of the great Portuguese writers to leave their mark on the first period of romanticism. In spite of being blind from the age of six years, he studied Humanities at Coimbra University and began to write very early. At the age of sixteen his «Ode on the death of the most excellent D. Maria I» was printed.

His work «The Night of the Castle», is considered an example of the most extreme romanticism of the period.

His work was extensively published in 1903 by the publishers of the History of Portugal, and he was a founder of the Revista Universal Lisbonense which became historically famous for its portrayal of Portuguese life of the period. He died in Lisbon in 1875.

1950. Barata Feyo *Avenida da Liberdade*

ALMEIDA GARRETT

Romancista, poeta e dramaturgo, a figura elegante que ditava no seu tempo a moda no Chiado, nasceu no Porto a 4 de Fevereiro de 1799 e chamava-se JOÃO BAPTISTA DA SILVA LEITÃO. O escritor viria a adoptar o nome da avó paterna e viria a marcar a rota do romantismo português com o nome de ALMEIDA GARRETT.

Com 15 anos exercita a oratória e num improviso célebre sobe ao púlpito da Igreja da Graciosa e, na falta de pregador, profere o sermão do dia.

Tendo tentado quase todos os géneros literários foi, porém, como dramaturgo que mais se notabilizou.

De entre as suas obras a mais conhecida é porventura «Frei Luís de Sousa», escrita em 1884. As «Viagens na Minha Terra», narrativa escrita em 1848, exemplificam outros dos géneros literários exercidos pelo autor, tal como as «Fábulas e Folhas Caídas» de 1853. Da extensa obra de Garrett editou-se uma colectânea em 1904 com prefácio de Teófilo Braga.

Barata Feyo esculpiu a estátua que o representa e que foi inaugurada em 1950.

Romanticist, poet and dramatist, this elegant figure who dictated the fashions worn in the Chiado, was born in Oporto on 4th February 1799 and was named JOÃO BAPTISTA DA SILVA LEITÃO. He was to adopt the name of his paternal grandmother and became known as Almeida Garrett throughout the period of Portuguese romanticism.

It was Barata Feyo, the sculptor, who modelled the statue erected in his memory, inaugurated in 1950.

By the age of 15 he was already a public speaker and, on a famous occasion, he entered the pulpit of the Graciosa church and, in the absence of the preacher, improvised the sermon of the day.

Having tried all forms of literature, it was as a dramatist that he was best remembered.

Of all his works, the best known is «Frei Luís de Sousa» written in 1884. His «Travels in My Country», a narrative written in 1848, exemplify other literary skills of the author, such as «Fábulas e Folhas Caídas» (Fables and Fallen Leaves), 1853. A collection of the works of Garret was published in 1904 with a Preface by Teófilo Braga.

1952. Leopoldo de Almeida *Avenida da Liberdade*

OLIVEIRA MARTINS

Historiador, sociólogo, romancista, economista, um dos maiores vultos da cultura portuguesa do século XIX, nasceu em Lisboa a 30 de Abril de 1845. Chamava-se JOAQUIM PEDRO DE OLIVEIRA MARTINS.

Publicou a sua primeira obra em 1867, um romance histórico — «Phebus Moniz» —, que marcava já o seu estilo original em que a análise fria dos factos se mistura com um domínio perfeito da frase. Em 1870 funda o periódico «A República» e o seu percurso ideológico vai evoluir de republicano para o socialismo.

Em 1875 funda a «Revista Ocidental», bilingue, com o objectivo de estimular a aproximação dos países ibéricos.

Foi ministro da Fazenda em 1892, e do conjunto da sua obra pode-se destacar: História e Civilização Ibérica; História de Portugal; A Vida de D. Nuno Álvares Pereira; A Circulação Fiduciária.

O monumento que o recorda foi inaugurado em 1952 e é da autoria de Leopoldo de Almeida.

Historian, sociologist, romanticist, economist, one of the great figures of Portuguese culture in the XIX c., JOAQUIM PEDRO DE OLIVEIRA MARTINS was born in Lisbon on 30th April, 1845.

His first work was published in 1867, a romantic novel — «Phebus Moniz» — which already distinguished his original style, in which the cold analysis of facts mingled with a perfect control of phrase.

In 1870 he founded the periodical «A República» and his ideological course was to develop from republicanism to socialism.

In 1875 he founded the bilingual «Revista Ocidental» with the object of drawing the Iberian countries closer to one another.

He was Minister of Public Works in 1892 and amog his written works are: Iberian History and Civilization; History of Portugal; The Life of D. Nuno Álvares Pereira; Fiduciary Movement.

His monument, by Leopoldo de Almeida, was inaugurated in 1952.

1908. Costa Mota *Avenida da Liberdade*

PINHEIRO CHAGAS

MANUEL PINHEIRO CHAGAS nasceu em Lisboa em 1842.

Além de romancista, historiador e dramaturgo, Pinheiro Chagas foi ainda um político de nomeada, chegando a ser nomeado ministro da Marinha no último ministério de Fontes Pereira de Melo.

Em 1908, o jornal «Mala da Europa» encomenda a Costa Mota o busto do escritor. Na base do pedestal ergue-se, em tamanho natural, a figura da Morgadinha de Val-Flor, heroína que deu nome à sua melhor peça dramática.

MANUEL PINHEIRO CHAGAS was born in Lisbon in 1842.

As well as romanticist, historian and dramatist, Pinheiro Chagas was also a politician and was appointed Minister of Marine in the last cabinet of Fontes Pereira de Melo.

In 1908 the newspaper «Mala da Europa» commissioned Costa Mota to make a bust of the writer. On the base of the pedestal, of normal dimensions, is the figure of the «Morgadinha de Val-Flôr», the heroine who gave her name to his greatest dramatic work.

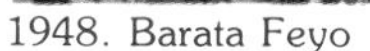

1948. Barata Feyo *Jardim da Estrela*

ANTERO DE QUENTAL

ANTERO TARQUÍNIO DE QUENTAL nasceu em Ponta Delgada em 1842, descendente de família fidalga. Frequentou a Universidade, e de uma inquietude que nada parecia sossegar, viajou por Paris, Canadá, América do Norte.

Poeta e pensador foi um dos membros das «Conferências do Casino». Socialista convicto, foi fundador da «Fraternidade Operária».

A inquietação e busca que transpiram da sua obra falam-nos de um escritor torturado, entregue a reflexões sobre a vida e o mundo, embuído contraditoriamente de uma estranha religiosidade.

O poeta suicida-se com um tiro de pistola, em 1891, na ilha de Ponta Delgada.

ANTERO TARQUINIO DE QUENTAL was born in Ponta Delgada in 1842 of a noble family. He attended University but, because of an unappeasable restlessness, he travelled to Paris, Canada, North America.

Poet and thinker, he was a member of the «Casino Conferences». A convinced socialist, he founded the «Brotherhood of Workers».

The restlessness and seeking reflected in his work reveal a tortured writer, given to pondering on life and the world, inconsistently filled with a strange religiosity.

In 1891 the poet shot himself dead with a pistol, on the island of Ponta Delgada.

1950. António Duarte *Rua Camilo Castelo Branco*

CAMILO CASTELO BRANCO

O autor de «Amor de Perdição» nasce em Lisboa a 16 de Março de 1825 e marca o seu percurso com uma aura de infelicidade, a que não terá sido alheia uma personalidade irascível, oscilante, continuamente mergulhada em depressões e entusiasmos.

CAMILO CASTELO BRANCO fica órfão muito cedo e envolve-se, ainda adolescente, em sucessivas paixões malogradas. Vagabundeia entre Trás-os-Montes, Porto e Lisboa, sempre inquieto e insatisfeito. Em 1850 chega a tentar o ingresso no Seminário do Porto, mas, dois anos volvidos, desiste, continuando sempre a escrever romances violentos, marcados pela desgraça e a má fortuna.

Em 1859 rapta Ana Plácido, o que conduz à prisão de ambos. Ela virá, porém, a ser sua companheira e com ele se instala em S. Miguel de Seide, onde acaba por se suicidar.

É do escultor António Duarte a estátua que o relembra e que foi inaugurada em 1950.

The author of «Amor de Perdição» (Unrequited Love) was born in Lisbon on 16th March 1825. He was a man who was always surrounded by an aura of unhapiness brought about by an irascible, changeable personality. He was always either in moods of depression or wild enthusiasm.

CAMILO CASTELO BRANCO was orphaned when very young and, as an adolescent, became involved in several ill-succeeded love affairs.

He wandered between Trás-os-Montes, Oporto and Lisbon, always restless and dissatisfied. In 1850 he entered a seminary in Oporto but, after two years, he gave it up, continuing always to write novels of violence stamped by disgrace and misfortune.

In 1859 he absconded with Ana Plácido which led to the imprisonment of both. However, she ended by being his companion and together they went to live in S. Miguel de Seide where she committed suicide.

The statue, by the sculptor António Duarte, was inaugurated in 1950.

1968. Lagoa Henriques *Praça de Londres*

GUERRA JUNQUEIRO

Nasceu em Freixo de Espada à Cinta, a 15 de Setembro de 1850, o mais célebre dos poetas combativos da época. ABÍLIO GUERRA JUNQUEIRO viu os seus primeiros versos editados e elogiados aos 14 anos e nunca mais pararia de escrever. Filho de uma família abastada, formou-se em Direito, mas exerce-se no jornalismo e na política, chegando a ser deputado.
Vitoriado em vida como um dos maiores poetas portugueses, severamente criticado no segundo quartel do nosso século pelo demagogismo oratório e as deficiências de estilo e construção, de facto as suas sátiras e a sua clareza na abordagem das ideias identificam-no com o gosto dos seus contemporâneos, nos quais exerceu influência considerável.
O monumento em sua memória ostenta estátua da autoria de Lagoa Henriques e foi inaugurado em 1968.

Born in Freixo de Espada à Cinta on 15th September 1850, the most celebrated of the combative poets of the period, ABÍLIO GUERRA JUNQUEIRO had his first poems published, and highly praised, at 14 years of age and from then on he never ceased to write. Son of a wealthy family, he read Law at University but became a journalist and, in political life, was elected a Deputy in parliament.
Applauded in life as one of the greatest Portuguese poets, severely criticised in this century for his demagogic oratory and deficiencies in style of construction, in truth his satires and lucidity of expression made him a popular figure among his contemporaries on whom he exercised considerable influence.
His monument, by Lagoa Henriques, was inaugurated in 1968.

1957. Numídeo Bessone *Jardim de Santos*

RAMALHO ORTIGÃO

JOSÉ DUARTE RAMALHO ORTIGÃO nasceu no Porto a 24 de Novembro de 1836, e notabilizou-se como jornalista e escritor. Foi criado enquanto criança na casa de lavoura de seus avós, o que, segundo o autor, lhe terá marcado para sempre o jeito sóbrio de camponês e lhe terá feito o gosto pela ordem, a disciplina e a solidão.
Depois de uma estada em Paris, colabora numa série de jornais portugueses: «Diário de Notícias», «Diário Popular», «Jornal do Comércio» e «Gazeta de Notícias».
Em conjunto com Eça de Queiroz escreveu a novela de mistério «O Mistério da Estrada de Sintra», que de tal forma mistificou os leitores da época que chegou a inquietar a Polícia.
Em 1870, ainda com Eça, inicia a publicação periódica de «As Farpas» — crónica mensal de política, de letras e de costumes.
Outro género literário que experimentou com êxito foi a literatura de viagens, do qual se destaca o livro «A Holanda». O escritor faleceu em Lisboa no ano de 1915.

JOSÉ DUARTE RAMALHO ORTIGÃO was born in Oporto on 24th November 1836 and became notable as journalist and writter. As a child he was brought up in his grandparents' farmhouse which, according to the author, was to mark him for ever with his sober coutryman's style and gave him his liking for order, discipline and solitude.
After a short stay in Paris, he collaborated in a series of Portuguese newspapers: Diário de Notíticas, Diário Popular, Jornal de Comércio, Gazeta de Notícias.
With Eça de Queiroz he wrote the mystery novel: «The Mystery of the Sintra Road» which was so convincing that even the police became uneasy.
In 1870, still with Eça, he initiated the publication of the periodical: «As Farpas» (The Barbs), a monthly chronicle on politics, literature and customs.
Another kind of writing with which he experimented successfully was travel, an example being «Holland». He died in Lisbon in 1915.

1925. Costa Mota *Largo do Chiado*

1955. Maximiano Alves *Jardim Cesário Verde*

«CHIADO»

ANTÓNIO RIBEIRO «CHIADO», poeta do século XVI, nasceu nos arredores de Évora, mas é a cidade de Lisboa que cedo o encanta e o perfilha. Sem poder esgrimir com uma cultura sólida, já que foi inquieto na vida e sem grandes hipóteses de estudar, há em todas as suas obras quadros flagrantes da vida nacional do seu tempo, escritos numa linguagem desassombrada e violenta de um realismo invulgar.

«Chiado» era um improvisador genial, falando em verso as suas críticas jocosas e aceradas. Foi actor e ventríloquo. São dele os três autos estilo vicentino: «Auto de Gonçal Chambão», «Auto da Natural Invenção» e «Auto das Regateiras», apresentados em estreia a el-rei D. João III.

O apelido «Chiado» que o poeta adoptou, chegou-lhe por alcunha, dado que era nessa zona lisboeta que António Ribeiro vivia e poetava, e onde veio a morrer no ano de 1591.

ANTÓNIO RIBEIRO «CHIADO», XVI c. poet, was born in the outskirts of Évora but early in life it was Lisbon that captivated him. Although he did not have a formal education since he was impatient and unwilling to study, in all his works there are scandalous descriptions of the life of the period written in an unusually realistic, bold and violent language.

Chiado was a talented improvisor, using his verses for jocular and pointed criticisms. He was an actor and a ventriloquist. His were the three dramatic compositions in Vincentine style: «Auto de Gonçal Chambao», «Auto da Natural Invenção» and «Auto das Regateiras», first perfomed for the king D. João III.

The name «CHIADO», adopted by the poet, was a nickname given to him, since it was in the area of Lisbon known as the Chiado that António Ribeiro lived and wrote his poems, and also where he died in 1591.

CESÁRIO VERDE

JOSÉ JOAQUIM CESÁRIO VERDE, poeta parnasiano, nasceu em Lisboa a 25 de Fevereiro de 1855. Expoente da escola literária que bem representa, o poeta defendia o culto da forma, a correcção da linguagem, o objectivo de libertar a língua portuguesa das sujeições a que se tinha confinado pelo classicismo e o romantismo. Só depois da sua morte este extraordinário poeta da vida e da cidade veria as suas obras publicadas num único livro: «O Livro de Cesário Verde».

Inimigo do sentimentalismo romântico, Cesário foi o grande retratista das cenas da vida lisboeta, legando-nos uma poesia natural e profundamente humanista.

JOSÉ JOAQUIM CESÁRIO VERDE, parnassian poet, was born in Lisbon on 25th February 1855. Exponent of the literary school which he represented, the poet supported the cult of form, the correct use of language, the objective of freeing the Portuguese language from its allegiance to classicism and romanticism to which it had been confined. It was only after his death that this extraordinary poetic writer of life and city life, would have all his work published in one book — The Book of Cesário Verde.

An enemy of romantic sentimentalism, Cesário was the great portraitist of Lisbon scenes, bequeathing to the Portuguese nation a natural and profoundly humanist poetry.

1953. Maximiano Alves *Praça D. João da Câmara*

D. JOÃO DA CÂMARA

D. JOÃO ZARCO DA CÂMARA foi poeta, escritor de romances históricos, jornalista, professor de arte dramática. Nascido a 27 de Dezembro de 1852, foi porém como dramaturgo que o primeiro filho do marquês da Ribeira Grande se notabilizou.

Mau aluno, sempre empenhou a sua inteligência nos escritos dramáticos, tendo experimentado todos os géneros.

Estreou-se como autor no Teatro D. Maria II com a comédia em um acto «Ao pé do fogão».

Jornalista brilhante, pertencia ao jornal «Ocidente».

Em 1890 apresenta a que é considerada a sua obra mais expressiva, o drama em cinco actos, escrito em verso, «D. Afonso VI». Morreu em Lisboa, em 1908.

D. JOÃO ZARCO DA CÂMARA was poet, writer of historical novels, journalist, professor of dramatic art. Born on 27th December 1812 it was, however, as a dramatist that the first son of the Marquis of Ribeira Grande became famous.

A poor student, he applied his intelligence to dramatic writing, trying every style.

His debut as author was in the D. Maria II theatre with a comedy in one Act «Ao Pé do Fogão» (At the Fireside). A brilliant journalist, he worked for the paper «Ocidente».

In 1890 he put on what was considered his most expressive work, the drama in five Acts, written in verse, «D. Afonso VI».

He died in Lisbon in 1908.

1951. Francisco Franco *Largo da Rosa*

AFONSO LOPES VIEIRA

O poeta AFONSO LOPES VIEIRA nasceu em Leiria a 26 de Janeiro de 1878 e licenciou-se em Direito, como seu pai, na Universidade de Coimbra. Tentou várias actividades profissionais, mas cedo decidiu dedicar-se exclusivamente à leitura e à poesia. Na sua casa de S. Pedro de Muel se concentravam então os maiores vultos culturais da época, entre artistas e escultores, músicos, sábios, professores.

Da sua extensa obra literária imprimiram-se três antologias: duas de versos organizadas pelo autor e a terceira compilada pelo Dr. Agostinho de Campos.

Alguns títulos dos mais expressivos poderão apontar-se: «Em Demanda do Graal», «O Encoberto», «Animais Nossos Amigos», «Crisfal», «O Pão e as Rosas».

Afonso Lopes Vieira faleceu em Lisboa no ano de 1946. O busto que recorda o poeta foi inaugurado em 1951, encontra-se no Largo da Rosa e é da autoria de Francisco Franco.

The poet, AFONSO LOPES VIEIRA, was born in Leiria on 26th January 1878 and read Law, as his father had, at Coimbra University. He tried various professional activities but soon decided to dedicate himself exclusively to poetry and prose. His house in S. Pedro de Muel became the meeting place for the greatest cultural figures of the period, artists and sculptors, musicians, scholars, professors.

Of his extensive literary works, three anthologies were published: two of poetry, put together by the author, the third compiled by Dr. Agostinho de Campos.

A few titles of the most expressive ones are: «Em Demanda do Graal» (In Search of the Graal), «O Encoberto» (The Secret), «Animais nossos Amigos» (Animals, Our Friends), «Crisfal», «O Pão e as Rosas» (The Bread and the Roses).

Afonso Lopes Vieira died in Lisbon in 1964. His commemorative bust, by Francisco Franco, was inaugurated in 1951 and stands in the Largo da Rosa.

AUGUSTO ROSA

AUGUSTO VIDOEIRA ROSA nasceu em Lisboa a 6 de Fevereiro de 1852, descendente de uma família com cimentadas relações com o meio artístico. Representou peças de todos os estilos teatrais, sendo reconhecida a sua versatilidade na construção de personagens e o seu estilo muito próprio de as interpretar.
Louvando o seu papel na cultura da época, foi-lhe concedida em 1907 a Comenda de Santiago. Com seu irmão, foi fundador de uma empresa teatral e deixou discípulos como Amélia Rey Colaço, Robles Monteiro e outros.
O busto que o relembra foi encomendado pela Câmara Municipal de Lisboa ao escultor Teixeira Lopes e foi inaugurado em 1925.

AUGUSTO VIDOEIRA ROSA was born in Lisbon on 6th February 1852 to a family with strong ties to the artistic world. He acted in plays of every theatrical type, receiving acclamation for his versatility in representing characters, and his very particular style.
In recognition of his contribution to the culture of the period, he was awarded the Order of Santiago in 1907. Together with his brother, he founded a theatrical company of which Amélia Rey Colaço, Robles Monteiro and others were disciples.
The sculptor Teixeira Lopes was commissioned by the Lisbon Municipal Council to model his bust, which was inaugurated in 1925.

1925. Teixeira Lopes — *Largo da Sé*

ANTÓNIO PEDRO

ANTÓNIO PEDRO DE SOUSA nasceu em Lisboa a 15 de Maio de 1836 e foi um dos mais geniais actores da sua época. Originário de família muito humilde, cedo teve de ganhar a vida e fê-lo como aprendiz numa oficina na Rua Nova do Almada, ao mesmo tempo que revelava a sua vocação extraordinária em teatrinhos particulares.
Fez a sua estreia em 1857, no antigo Teatro do Campo Grande, representando nas comédias «O Magnetismo», «Leite de Burras», «Os Dois Papalvos» e «Os Abstractos». Aí obteve um tal êxito que ao ser constituída a sociedade empresária que inaugurou o Teatro das Variedades Dramáticas foi convidado a fazer parte da companhia. E nunca mais parou António Pedro no caminho das ovações, tendo já no fim da vida interpretado o papel de «coveiro» do «Hamlet» de uma forma tão espantosa que mereceu críticas elogiosas de todos os actores da sua época.

ANTÓNIO PEDRO DE SOUSA, born in Lisbon on 15th May 1836, was one of the most talented actors of his period. Coming from a very humble background, he quickly found he had to earn his living, and this he did as an apprentice in a workshop in Rua Nova do Almada at the same time as he discovered his extraordinary vocation for small, private theatricals.
His debut was in 1857 in the old Campo Grande theatre, acting in the comedies «O Magnetismo» (The Magnetism), «Leite de Burras» (Asses' Milk), «Os Dois Papalvos» (The Two Simpletons), «Os Abstractos» (The Absent-Minded). So great was his success that, when the company that inaugurated the Variety Theatre was formed, he was invited to become a member. António Pedro never ceased to receive acclaim having, towards the end of his career, acted the part of the gravedigger in Hamlet in such a novel manner that he earned the praise of all the actors of the period.

1959. Costa Mota (sob.) — *Jardim do Campo Grande*

1914. Costa Mota (sob.) *Jardim da Estrela*

ACTOR TABORDA

Considerado um dos maiores actores da sua geração, FRANCISCO ALVES DA SILVA TABORDA nasceu em Abrantes a 8 de Janeiro de 1824.
Filho de uma família muito humilde, desde cedo se decidiram os seus passos e a sua determinação. Representava num estilo que se tornou muito pessoal, com gestos comedidos e muito sóbrios.
O busto de bronze que o representa está colocado no Jardim da Estrela, foi inaugurado em 1914 e é da autoria de Costa Mota (sob.).
Do actor há também expressivo quadro pintado por Columbano.

Considered one of the greatest actors of his generation, FRANCISCO ALVES DA SILVA TABORDA was born in Abrantes on 8th January, 1824.
Of humble origin, his future and his determination were soon apparent. He acted in a style that was very much his own, with controlled and temperate gestures.
The bronze bust that immortalises him, by Costa Mota and situated in the Estrela gardens, was inaugurated in 1914.
There is also a portrait of the actor painted by Columbano.

1957. Teixeira Lopes *Praça da Alegria*

ALFREDO KEIL

ALFREDO KEIL, nascido em Lisboa a 3 de Julho de 1850, foi um homem de invulgar cultura e de múltiplos interesses artísticos. Falava e escrevia correntemente seis idiomas. Escreveu versos e obras de crítica de arte. Era um coleccionador de raro bom-gosto, tendo inclusivamente uma espantosa colecção de instrumentos musicais. Compôs óperas e inúmeras peças musicais, e terá sido como compositor que se tornou conhecido.
É de Alfredo Keil, descendente de alemães, a autoria da música do Hino Nacional português.
Foi pintor, ensaísta, orquestrador. Fez fados, melodias para piano e canto.
A sua figura foi retratada pelos melhores pintores da sua época, como Columbano e Rafael Bordalo Pinheiro. O seu busto foi esculpido por Teixeira Lopes e inaugurado na Praça da Alegria em 1957.

ALFREDO KEIL, born in Lisbon on 3rd July 1850, was a man of unusual culture and many artistic interests. He spoke and wrote six languages correctly. He wrote poetry and art critiques. He was a collector, possessing an amazing collection of musical instruments. He composed operas and many musical pieces and it was as a composer that he came to be known. It was Alfredo Keil, of German descent, who composed the Portuguese national anthem.
He was painter, essayist, composer. He wrote fados, melodies for piano and canto.
He was painted by the best portraitists of the period, such as Columbano and Rafael Bordalo Pinheiro; his bust was sculpted by Teixeira Lopes and inaugurated, in the Praça da Alegria, in 1957.

VIANA DA MOTA

Pianista e compositor de reconhecido talento, JOSÉ VIANA DA MOTA nasceu em S. Tomé a 22 de Abril de 1868 e morreu em Lisboa no ano de 1948.

Com apenas 14 anos concluiu o curso do Conservatório de Lisboa, tendo em seguida prosseguido os estudos na Alemanha ao abrigo de uma bolsa.

Efectua a sua primeira viagem triunfal aos EUA, em 1892, e representou Portugal nas comemorações centenárias de Beethoven, em Viena.

Além de pianista e compositor devem-se-lhe ainda obras de divulgação sobre Wagner e Liszt.

Pianist and composer of renowned talent, JOSÉ VIANA DA MOTA was born in S. Tomé on 22nd April 1868 and died in Lisbon in 1948.

When he was only 14 years old he finished the course in the Lisbon Conservatory of Music and immediately proceeded to the continuation of his musical studies in Germany, with the help of a scholarship.

His first triumphal tour of the USA was in 1892, and he represented Portugal in the Beethoven centenary commemorations in Vienna.

As well as pianist and composer, he also wrote informative works on Wagner and Liszt.

1957. Anjos Teixeira (filho) — *Jardim do Torel*

LUÍSA TODI

LUÍSA ROSA DE AGUIAR TODI, notável actriz-cantora lírica, nasceu em Setúbal a 9 de Janeiro de 1753. Oriunda de família ligada à música e ao teatro, não tinha ainda 15 anos quando se estreou com suas irmãs no Teatro do Bairro Alto. Um ano mais tarde casa com um primeiro-violinista italiano, Francisco Todi, e, apesar da sua extrema juventude, não mais pára de representar e cantar.

A confirmação do seu talento foi-lhe concedida em Paris no ano de 1778 nos Concerts Espirituels, em que o público a consagrou como uma das maiores cantoras da época. Em 1783 estreia-se em Berlim nas óperas «Alessandro e Porc», de Graun, e «Lúcio Patrício», de Hasse. Fez sucesso em Viena de Aústria e na Corte russa.

Morreu em Lisboa no ano de 1833.

LUÍSA ROSA DE AGUIAR TODI, famous actress and lyric singer, was born in Setubal on 9th January 1753. Surrounded by a family closely associated with music and the theatre, she was still not 15 when she made her debut, with her sisters, in the Bairro Alto theatre. One year later she married an Italian violinist, Francisco Todi, and in spite of her extreme youth, she never ceased to act and to sing. Confirmation of her talent came in Paris in 1778 during the Concerts Espirituels where the public hailed her as one of the greatest singers of the period. In 1783 she made her debut in Berlin in the operas «Alessandro e Porc» by Graun, and «Lucio Patrício» by Hasse. She was a great success in Vienna and the Russian Court.

She died in Lisbon in 1833.

1957. Martins Correia — *Jardim do Campo Grande*

1921. Raul Xavier — *Jardim do Campo Grande*

Costa Mota (sob.) — *Parque Silva Porto - Benfica*

RAFAEL BORDALO PINHEIRO

RAFAEL BORDALO PINHEIRO, ainda hoje considerado um dos maiores caricaturistas de todos os tempos, foi ainda um ceramista genial e um decorador de prodigiosa criatividade. Nasceu em Lisboa, na Rua da Fé, a 21 de Março e morreu em Janeiro de 1905.

Apaixonado pelo país, recusou convites de muitos jornais estrangeiros que lhe cobiçavam os grafismos e desenhos.

Fundou «A Lanterna Mágica» e publicou, em 1870, o álbum de caricaturas gravadas a água-forte — «O Calcanhar de Aquiles» —, onde retrata as figuras mais proeminentes do seu tempo.

No Rio de Janeiro, entre 1875 e 1879, dirigiu o jornal «O Mosquito», depois «O Besouro». Em 1885, Rafael dedica-se à cerâmica, tendo revolucionado por completo o estilo da chamada «Louça das Caldas». A ele se deve ainda o esboço do cartaz artístico em Portugal e, na sua última incursão pelo jornalismo, a fundação do jornal «A Paródia».

RAFAEL BORDALO PINHEIRO, even now considered to be one of the greatest caricaturists of all time, was also a potter and a decorator of great creativity. He was born in Lisbon in the Rua da Fé on 21st March and died in January 1905.

Loving his own country, he refused the invitation of many foreign newspapers that coveted his diagrams and drawings. He founded «A Lanterna Mágica» (The Magic Lantern) and, in 1870, published an album of sardonic caricatures — «O Calcanhar de Aquiles» (The Heel of Achilles) — in which he portrays the most eminent figures of his time.

In Rio de Janeiro, between 1875 and 1879, he was director of the Journal «O Mosquito», after called «O Besouro» (The May-Bug).

In 1885 Rafael applied himself to ceramics having completely revolutionised the style of the pottery from Caldas. To him also is owed the drawing of artistic posters in Portugal and, in his final excursion into journalism, the founding of the paper «A Parodia».

SILVA PORTO

ANTÓNIO CARVALHO DA SILVA PORTO notabilizou-se como pintor de grande sensibilidade artística e raro sentido estético. Nasceu no Porto a 11 de Novembro de 1850, e com 15 anos matriculou-se na Academia Portuense de Belas-Artes, revelando desde logo o seu extraordinário talento.

Percorreu todo o circuito artístico europeu, expondo em Paris, Roma, Bélgica, Holanda e Espanha.

Em 1884 expôs no «Salon» de Lisboa uma das suas mais famosas telas — Salmeja —, que retrata um episódio da faina rural da Estremadura.

Fundou em 1891 o Grémio Artístico, dando novo rumo e impulso ao movimento artístico português.

Tem uma obra numerosa, brilhante, cheia de sentimento e cor. O pintor morreu em Lisboa no ano de 1893, e o busto de pedra em tamanho natural que o recorda é da autoria de Costa Mota (sob.).

ANTÓNIO CARVALHO DA SILVA PORTO became known as a painter of great artistic sensitivity and a rare aesthetic sense. He was born in Oporto on 11th November 1850 and at 15 years of age he graduated from the Oporto Academy of Fine Arts showing, even then, his extraordinary talent.

He followed the European artistic route, exhibiting in Paris, Rome, Belgium, Holland, Spain. In 1884 he exhibited in the 'Salon' in Lisbon one of his most famous canvases — Salmeja — which portrays an episode in the rural life of Estremadura.

In 1891 he established the Artists Guild giving fresh impetus and direction to the Portuguese artistic movement. His work is abundant, brilliant, full of feeling and colour.

The painter died in Lisbon in 1893. His full-size stone bust is the work of Costa Mota.

1936. Costa Mota (sob.) *Avenida da Liberdade*

ROSA ARAÚJO

JOSÉ GREGÓRIO ROSA ARAÚJO foi uma figura notável da sua época, a quem a cidade de Lisboa deve iniciativas importantes, nomeadamente a construção da Avenida da Liberdade. Nascido a 17 de Novembro de 1840, filho de um comerciante muito rico, cedo se viu afastado dos estudos e envolvido nos negócios de seu pai. Foi jornalista, deputado, par do reino. Foi vereador e presidente da Câmara de Lisboa, e foi nesta qualidade que à cidade devotou a sua prodigiosa capacidade de trabalho e de iniciativa. Criou a rede de transportes urbanos sobre carris, um novo sistema tributário, o mercado da Praça da Figueira, asilos escolares municipais, creches, talhos. Promoveu a construção dos Bairros de Camões e da Estefânia.

JOSÉ GREGÓRIO ROSA ARAÚJO was a notable figure of his period to whose initiative the city of Lisbon owes much, namely, the construction of the Avenida da Liberdade. Born on 17th November 1840, son of a very wealthy merchant, he soon abandoned his studies to become involved in his father's business. He was journalist, deputy, peer of the realm. He was a Councillor and President of the Lisbon Municipal Council and, it was in this capacity, that he applied his prodigious energy for work and initiative. He developed the city's urban transport network on rails, a new system of taxation, the marketplace at Praça da Figueira, Municipal schools, crêches, butcher shops. He furthered the construction of the city's wards, the Bairros of Camões and Estefânia.

1929. Costa Mota (sob.) *Largo de Santa Luzia*

JÚLIO DE CASTILHO

Primogénito do escritor António Feliciano de Castilho, JÚLIO DE CASTILHO foi um dos vultos mais cultos da sociedade da época. Nasceu em Lisboa a 30 de Abril de 1840 e é considerado um dos mais ilustres olissipógrafos de todos os tempos.

Historiador, dramaturgo e analista político, Júlio de Castilho foi membro das mais importantes academias culturais da época e professor de História da Literatura Portuguesa do príncipe real D. Luís Filipe.

O busto que imortaliza o autor de «Lisboa Antiga» é de Costa Mota e foi inaugurado em 1929.

Eldest son of the writer António Feliciano de Castilho, JÚLIO DE CASTILHO was one of the most learned men of the period. He was born in Lisbon on 30th April 1840 and is considered one of Lisbon's most illustrious figures of all time.

Historian, dramatist and political analyst, Júlio de Castilho was a member of the most prestigious cultural Academies of the period, and professor of the History of Portuguese Literature to the Royal Prince D. Luís Filipe.

The bust that immortalises the author of «Lisboa Antiga» (Old Lisbon), is by Costa Mota, inaugurated in 1929.

1904. Teixeira Lopes — *Largo Academia Nacional de Belas-Artes*

VISCONDE DE VALMOR

FAUSTO DE QUEIRÓS GUEDES, VISCONDE DE VALMOR, nasceu em Lisboa no ano de 1837 e notabilizou-se como diplomata e mecenas. Por sua iniciativa foi instituído um prémio anual a atribuir ao prédio da cidade com melhor estilo arquitectónico, tendo ainda criado bolsas de estudo no estrangeiro para os alunos mais distintos da Academia de Belas-Artes.

Alguns anos após a sua morte e por iniciativa de um grupo de professores e alunos da Academia de Belas-Artes, foi encomendada ao escultor Teixeira Lopes o monumento em sua memória, e o delicado busto em bronze que o recorda foi inaugurado em 1904.

FAUSTO DE QUEIRÓS GUEDES, VISCONDE DE VALMOR, was born in Lisbon in 1837 and was a notable diplomat and patron of the Arts. Through his initiative an annual prize was awarded for the building in the best architectural style, and scholarships for studies abroad to the most promising students in the Academy of Fine Arts.

Some years after his death, a group of professors and students at this Academy commissioned the sculptor Teixeira Lopes to model a bronze bust, which was inaugurated in 1904.

1968. A. Vasselot — *Rua Possidónio da Silva*

POSSIDÓNIO DA SILVA

JOAQUIM POSSIDÓNIO NARCISO DA SILVA foi um notável arqueólogo e arquitecto e nasceu em Lisboa a 17 de Maio de 1806. Fez a sua formação em Paris e Roma, e no reinado de D. Pedro IV foi chamado a dirigir a renovação dos principais palácios e edifícios públicos. Fundou o Albergue dos Inválidos do Trabalho, que dedicou à memória de D. Pedro V, e a Real Associação dos Arquitectos e Arqueólogos Portugueses, que dotou de um museu arqueológico, onde reuniu uma extraordinária colecção de peças de inegável valor.

Publiçou várias obras técnicas e, além do seu cargo de arquitecto da Casa Real, era Moço da Real Câmara, fidalgo, cavaleiro da Ordem da Torre e Espada, comendador e presidente da Comissão dos Monumentos Nacionais. Morreu em Lisboa no ano de 1896.

JOAQUIM POSSIDÓNIO NARCISO DA SILVA was a noted archaeologist and architect, born in Lisbon on 17th May 1806. He studied in Paris and Rome and in the reign of D. Pedro IV he was called to direct the renovation of the principal palaces and public buildings. He founded a Shelter for Workers which he dedicated to the memory of D. Pedro V, and the Royal Association of Portuguese Architects and Archaeologists, with an Archaelogical Museum which contained a valuable collection of items of undoubted worth.

He published several technical works and, as well as his position as Architect to the Royal Household, he was a member of the Royal Council, a nobleman, a knight of the Order of the Torre-e-Espada, a Commander and President of the Commission for National Monuments.

He died in Lisbon in 1896.

1930. Costa Mota — *Largo Dr. Bernardino A. Gomes*

BERNARDINO ANTÓNIO GOMES

BERNARDINO ANTÓNIO GOMES, doutor em Medicina pela Faculdade de Paris e formado em Matemática por Coimbra, nasceu em Lisboa a 22 de Setembro de 1806. Foi o primeiro médico português a utilizar o clorofórmio e um aparelho de inalação de éter, revolucionando toda a técnica de anestesia.

Fundador e colaborador da «Gazeta Médica» e do jornal da Sociedade de Ciências Médicas de Lisboa, colaborou ainda, em 1876, na farmacopeia portuguesa.

Foi autor de vasta obra científica e reconhecido, já no seu tempo, como um médico de extraordinária craveira. Foi agraciado com a Ordem de Santiago e da Torre e Espada, grã-cruz da Ordem de Isabel a Católica e oficial da Legião de Honra de França.

BERNARDINO ANTÓNIO GOMES, a graduate of the Paris Medical College and with a degree in Mathematics from Coimbra University, was born in Lisbon on 22nd September 1806. He was the first Portuguese doctor to use chloroform and an apparatus for inhaling ether, completely revolutionising the technique of anasthesia.

Founder and collaborator of the Medical Gazette and the newspaper of the Society of Medical Sciences of Lisbon, he also collaborated in the Portuguese Pharmacopoeia, in 1876.

He was the author of immense scientific works and, in recognition of his extraordinary merit, he was awarded the Order of Santiago and the Order of Torre-e-Espada, the Grand Cross of Isabel the Catholic and was made an Officer of the Legion of Honour in France.

1973. António Paiva — *Avenida Padre Cruz*

RICARDO JORGE

RICARDO JORGE foi professor, higienista e escritor, fundador do Instituto com o seu nome, senhor de uma cultura excepcional servida por uma inteligência fulgurante e uma memória segura.

Nasceu no Porto a 9 de Maio de 1858, tendo falecido em Lisboa no ano de 1939.

Formou-se com 21 anos, dissertando sobre «Um ensaio sobre o Nervosismo», fundou em 1882 a revista «Cientifica» e montou o primeiro laboratório português de microscopia e fisiologia.

Em 1884 impôs-se definitivamente como higienista, imprimindo novos rumos ao sistema sanitário português, com quatro notabilíssimas conferências sobre «Higiene em Portugal», «A evolução da Sepultura, Inumação, Cemitérios e Cremação». Teve um papel destemido que lhe veio trazer consagração internacional no diagnóstico e luta da epidemia de peste bucónica de 1899.

RICARDO JORGE was professor, hygienist and writer, founder of the Institute bearing his name. He was exceptionally learned, extremely intelligent and had a prodigious memory. He was born in Oporto on 9th May 1858 and died in Lisbon in 1939.

Ricardo Jorge graduated at the age of 21, his thesis being «An Essay on the Nervous System». In 1882 he founded a scientific magazine and set up the first Portuguese laboratory of microscopy and physiology. In 1884 he was definitively acknowledged as a hygienist, giving new direction to the Portuguese sanitary system with four remarkable conferences on «Hygiene in Portugal».

1050. Francisco dos Santos — *Jardim do Príncipe Real*

1985. António Duarte — *Alto do Restelo*

SOUSA VITERBO

FRANCISCO MARQUES DE SOUSA VITERBO, arqueólogo e escritor, licenciou-se em Medicina pela Universidade de Lisboa, mas foi à História que dedicou a sua inteligência. Nasceu no Porto em 1846 e faleceu em Lisboa no ano de 1911.

Dele se conhecem ainda obras poéticas de belíssimo ritmo, como «O Anjo do Pudor», «Rosas e Nuvens», «Harmonias Fantásticas». O seu busto em bronze é da autoria de Francisco dos Santos e foi inaugurado em 1950.

FRANCISCO MARQUES DE SOUSA VITERBO, archaeologist and writer, took his degree in Medicine at the Lisbon University but it was History that captured his imagination. He was born in Oporto in 1846 and died in Lisbon in 1911.

Some of his beautiful poems are still remembered, such as «The Angel of Modesty», «Roses and Clouds», «Fantastic Harmonies». His bronze bust, by Francisco dos Santos, was inaugurated in 1950.

AVELAR BROTERO

FÉLIX DE AVELAR, de seu nome natural, nasceu em Santo António do Tojal a 25 de Novembro de 1744, e só muito posteriormente veio a adoptar o apelido de «Brotero», que significa «Amante dos mortos».

Doutor em Medicina pela Universidade de Reims foi, porém, como botânico que veio a notabilizar-se com a publicação do seu «Compêndio Botânico», publicado em Paris no ano de 1788.

Órfão muito cedo, socorreu-se da actividade do canto para sobreviver, tendo chegado a ser nomeado capelão-cantor da Sé Patriarcal.

Foi director do Real Museu e do Jardim Botânico da Ajuda, lente na Universidade de Coimbra e deputado.

A estátua que o recorda foi esculpida por António Duarte e inaugurada em 1985.

FÉLIX DE AVELAR, to give him his real name, was born in S. António do Tojal on 25th November 1744 and only much later did he adopt the name BROTERO which means «Lover of the Dead».

Graduated in medicine by the University of Reims, it was as a botanist, however, that he became known, with the publication of his Botanical Compendium published in Paris in 1788.

Orphaned when very young, he turned to singing as a living and was appointed Chaplain of Song of the Cathedral.

He was Director of the Royal Museum and of the Botanical Garden in Ajuda, Reader at Coimbra University and a Deputy.

The memorial statue, by António Duarte, was inaugurated in 1985.

1958. Martins Correia

Rua da Junqueira

GARCIA DA ORTA

GARCIA DA ORTA foi um notável naturalista e médico do século XVI, não se conhecendo a data exacta do seu nascimento, que terá sido no ano de 1501.

Formado em Espanha, filho de judeus, veio para Portugal em 1526 preencher a vaga deixada por Pedro Nunes. Temendo as perseguições cometidas contra o seu povo, afastou-se para Goa, onde estudou a flora local e publicou a tese «Colóquios dos simples e drogas e coisas medicinais da Índia», que é, ainda hoje, considerada uma das obras-primas na História da Medicina.

Depois de ter falecido, no ano de 1568, sem ter sofrido qualquer ataque da Inquisição, foi sepultado na Sé ao pé de sua mãe. Em 1580, porém, a mesma Inquisição manda exumar os seus ossos e queima-os publicamente, lançando as cinzas ao rio Mandovi, e, no dizer de Silva Carvalho, «um grande silêncio caiu sobre a sua memória, apagaram-se os vestígios da sua estada gloriosa na Índia e foram destruídos os seus «Colóquios».

A sua estátua, feita em bronze, foi modelada por Joaquim Martins Correia e erigida em 1958 por homenagem do Instituto de Medicina Tropical.

GARCIA DA ORTA was a notable naturalist and doctor, of the XVI c.. The exact date of his birth is not known but the year was 1501.

Graduated in Spain, the son of Jewish parents, he came to Portugal in 1526 to fill the gap left by Pedro Nunes. Fearing the persecution of the Jews, he went to Goa where he studied the local flora and published a paper on «Colloquys on the simples and drugs and medicinal things of India», which, even today, is considered a masterpiece in the history of medicine.

After his death in 1568, without having suffered in any way from the Inquisition, he was buried in the Cathedral beside his mother. However, in 1580 the Inquisition ordered the exhumation of his bones which were publicly burned, the ashes being thrown into the Mandovi river and, to quote Silva Carvalho, «a great silence fell over his memory, no vestiges remained of his glorious visit to India» and his «Colloquys» were destroyed.

The bronze statue was modelled by Joaquim Martins Correia and erected to his memory by the Institute of Tropical Medicine in 1958.

1907. Costa Mota *Campo Mártires da Pátria*

SOUSA MARTINS

JOSÉ TOMÁS DE SOUSA MARTINS, médico neurologista e escritor, professor da Escola Médica e figura admirada e venerada no seu tempo e ainda hoje, nasceu em Alhandra a 7 de Março de 1843 e faleceu a 18 de Agosto de 1897.

Inúmeras histórias curiosas surpreendem o interessado por Sousa Martins, alvo de um culto popular que lhe cobre a estátua de votos e flores e leva ainda grande número de fiéis a visitar o seu túmulo em Alhandra.

Uma primeira estátua de Sousa Martins foi inaugurada pelo rei D. Carlos, de quem era médico, em 1900. Da autoria de Queirós Ribeiro, essa primeira homenagem levantou tal onda de protestos do povo que foi arrasada e quase dava origem a um motim! Nela se representava o clínico de cócoras recebendo uma flor, o que foi, à época, considerado desprestigiante e deu mesmo origem a um dito que referia a origem de Sousa Martins — «Antes ser filho de sapateiro, do que de Queirós Ribeiro». O monumento actual é da responsabilidade de Costa Mota (tio) e foi inaugurado sete anos mais tarde.

O seu culto sofreu apropriações diversas desde sociedades espíritas aos avieiros...

JOSÉ TOMÁS DE SOUSA MARTINS, neurologist and writer, professor at the School of Medicine, a much admired figure then and now, was born in Alhandra on 7th March 1843 and died on 18th August 1897.

Many curious stories are told about Sousa Martins, the source of a popular cult which maintains his statue covered with flowers and ex votos and still brings a large number of believers to visit his tomb in Alhandra.

A first statue of Sousa Martins was inaugurated in 1900 by the king D. Carlos, whose doctor he was. Modelled by Queirós Ribeiro this first memorial raised such a storm of protest that it was knocked down and almost caused a riot! On it, the doctor was represented in a crouch, receiving a proffered flower and this was considered derogatory and gave origin to a popular saying about the origins of Sousa Martins — «Rather be the son of a cobbler than of Queirós Ribeiro». The present statue is by Costa Mota and was inaugurated seven years later.

His cult suffered several appropriations, from spiritual societies to mollusc pickers...

1960. Leopoldo de Almeida *Praça Artur Portela*

1904. Costa Mota e Álvaro Machado *São Pedro de Alcântara*

ARTUR PORTELA

ARTUR PORTELA notabilizou-se como escritor e jornalista de mérito reconhecido, autor de reportagens magníficas de estilo e capacidade de tradução do real. Nasceu em Leiria a 24 de Abril de 1901, tendo dirigido ou colaborado em inúmeros jornais: «A Pátria», «Domingo Ilustrado», «Século Ilustrado», «Diário de Lisboa», «Diário de Notícias», etc.

Correspondente de guerra em Espanha, assinou trabalhos únicos, reportagens de um rigor e vivacidade que marcaram o seu estilo.

Foi-lhe concedida a Ordem da Liberdade pelo rei Jorge VI de Inglaterra.

Da sua obra, enquanto escritor, destaca-se: «A Batalha Humana», «Nas Trincheiras de Espanha», «Os Grandes Duelos em Portugal».

O busto em bronze que o celebra foi criado por Leopoldo de Almeida, em 1960, e inaugurado onze anos depois na praça que tem o seu nome, existente em Benfica.

ARTUR PORTELA was notable as a writer and journalist of merit, the author of magnificent reporting with great style and descriptive aptitude. He was born in Leiria on 24th April 1901 and became director of and contributor to many newspapers: A Pátria, Domingo Ilustrado, Século Ilustrado, Diário de Lisboa, Diário de Notícias, etc.

As a war correspondent in Spain, he wrote some unique stories, reports of great authenticity and livliness.

He was awarded the Order of Liberty by George VI of Great Britain.

To mention a few of his publications: The Human Conflict; In the Spanish Trenches; Great Duels of Portugal.

The bronze memorial bust was modelled by Leopoldo de Almeida in 1960 and inaugurated eleven years later in the square that bears Artur Portela's name in Benfica.

EDUARDO COELHO

EDUARDO COELHO nasceu em 1835 e faleceu a 14 de Maio de 1889. Começou como simples tipógrafo, daí a jornalista no «Revolução de Setembro» e, esforço a esforço, tornou-se uma das maiores figuras do jornalismo português. Em 1863 fundou o «Diário de Notícias» e dele se manteve como director até à sua morte.

Foi presidente honorário da Associação de Socorros Mútuos e Escolares dos Vendedores de Jornais, presidente da Associação de Tipógrafos Lisbonense e recebeu do Governo a comenda da Ordem de Santiago.

Destaca-se da extensa obra que nos deixou: A Vida de Um Princípe, Tribulação de Um Poeta, Comédia na Rua, Namorada Exemplar, A Castelã, Passeios na Primavera, estudos românticos, publicados entre 1859 e 1873. Experimentou ainda a poesia e o teatro.

EDUARDO COELHO was born in 1835, died on 14th May 1889. He started life as a simple typesetter, then became a journalist on the «September Revolution» and, by unceasing effort, became one of Portugal's leading journalists. In 1863 he established the Diário de Notícias and remained its director until his death.

He was Honoray President of the Association of Mutual and Scholastic Assistance to Newsvendors, President of the Lisbon Printers Association and was made Commander of the Order of Santiago by the government.

Among his many works, some were: Life of a Prince, Tribulations of a Poet, Comedy in the Street, The Perfect Lover, Walks in Spring, romantic novels — all published between 1859 and 1873. He also experimented with poetry and the theatre.

1989. Martins Correia *Aeroporto*

BARTOLOMEU DE GUSMÃO

BARTOLOMEU LOURENÇO era um inventor inquieto. Nasceu no Brasil, em Santos, no ano de 1685, e morreu em Toledo a 19 de Novembro de 1724.

Foi noviço no Seminário dos Jesuítas da Baía e aí adoptou o apelido de «Gusmão», nome do director do Seminário, homem a quem considerava dever a sua formação criativa.

Em 1708 apresenta a D. João V a sua «passarola», aeróstato a ar aquecido, que experimentou perante a Corte, no pátio da Casa da Índia.

A primeira tentativa, a 5 de Agosto de 1709, foi um fracasso, já que o balão se incendiou, assustando o povo e o rei!

A 8 de Agosto, porém, tentou de novo, e o belo pássaro elevou-se a cerca de cinco metros. Em 1710 inventa um aparelho para tirar água dos navios.

BARTOLOMEU LOURENÇO was an indefatigable inventor. He was born in Santos, Brazil, in 1685 and died in Toledo on 19th November 1724.

He was a novice at the Jesuit seminary in Baia and there he took the surname «Gusmão», the name of the Director of the Seminary to whom he believed he owed his creativity.

In 1708 he demonstrated his «bird» for D. João V, a hot-air aerostat which he flew before the Court in the courtyard of the Casa da India.

The first attempt, on 5th August 1709, was a disaster since the balloon caught fire frightening the people who had come to watch, and the king!

On 8th August, however, he tried again and the graceful «bird» rose to a height of 5 meters. In 1710 he invented a machine to pompe water from ships.

1950. Guilherme Cordoba — *Praça do Chile*

FERNÃO DE MAGALHÃES

FERNÃO DE MAGALHÃES foi o navegador que pela primeira vez empreendeu a viagem de circum-navegação. Estava-se em 1519, e por se ter considerado incompreendido pelo monarca português iniciou a aventura ao serviço do rei Carlos V de Espanha, tendo atravessado a ponta sul da América por um estreito a que foi dado o seu nome. É hoje território chileno, e foi o escultor daquele país, Guilherme Cordoba, quem lhe sonhou o monumento que foi oferecido a Portugal pelo Presidente D. Carlos Ibañez Del Campo a 26 de Abril de 1930.

O navegador nasceu em Trás-os-Montes no ano de 1480, tendo falecido no decorrer da viagem em luta contra os indígenas do arquipélago das Filipinas, corria o ano de 1521.

FERNÃO DE MAGALHÃES was the first navigator to try to circumnavigate the world. The year was 1519 and, because he felt he had been misunderstood by the Portuguese king, he undertook the adventure in the name of king Carlo V of Spain, negotiating a passage across the southern point of South America through a strait which bears his name. It is now Chilean territory and it was a sculptor of that country, Guilherme Cordoba, who modelled his monument which was offered to Portugal by President D. Carlos Ibanez Del Campo, on 26th April 1930.

The navigator was born in Trás-os-Montes in 1480 and died on the voyage in a battle against the natives of the Philippine archipelago in 1521.

«A PÁTRIA»

1908. Teixeira Lopes *Largo Caminho de Ferro*

1947. Réplica da estátua de Soares dos Reis — *Castelo de S. Jorge*

D. AFONSO HENRIQUES

O primeiro rei de Portugal, AFONSO HENRIQUES, nasceu em 1110, e era filho de Henrique de Borgonha e de D. Teresa, filha do rei de Leão. Após a morte de seu pai rebelou-se contra o governo materno e, com o apoio popular, travou contra ela a Batalha de S. Mamede, em 1128. Vencedor, proclamou-se rei do Condado Portucalense, separando-o dos reinos castelhanos.

Mais do que uma revolta de jovem ambicioso, a luta travada culminou um processo em que estava em causa a própria existência de Portugal como reino. Com D. Teresa e seu marido, Fernando Peres, o condado seria parcela apenas do reino da Galiza. Com D. Afonso Henriques se fez reino e, junto aos muros do castelo de Guimarães, nasceu Portugal.

The first king of Portugal, AFONSO HENRIQUES, was born in 1110 and was the son of Henry of Burgundy and D. Teresa, daughter of the King of Léon. On his father's death he rebelled against his mother's government and, with popular support, fought against her in the Battle of S. Mamede in 1128. Victorious, he proclaimed himself King of the Portucalense County, breaking away from the Castilian kingdoms.

More than the revolt of an ambitious youth, the battle fought was the culmination of a process which put to the test the very existence of Portugal as a kingdom. With D. Teresa and her husband Fernando Peres, the county would merely be a possession of the kingdom of Galiza. With D. Afonso it became a kingdom and, by the walls of the castle of Guimarães, Portugal was born.

1971. Leopoldo de Almeida — *Praça da Figueira*

D. JOÃO I

D. JOÃO I, filho bastardo do rei D. Pedro I, foi, com apenas seis anos, nomeado mestre da Ordem de Avis, e seria essa nomeação que consagraria como cognome à data da aclamação real, em 1385.

Saído da crise política que agitou o país em 1383 e que decorreu do problema da sucessão ao trono criado pela morte do rei D. Fernando, foi ao Mestre de Avis que foi cometida a perigosa missão de executar o Conde Andeiro, aventureiro galego que aproveitando a excessiva influência política que exercia sobre a regente Leonor Teles punha em causa a independência nacional.

D. João I, político astuto e inteligente, proporcionou ao país um longo reinado de equilíbrio social, paz e progresso, marcando-o com a salvação da independência, o início das conquistas além-mar e o arranque dos descobrimentos marítimos.

Morreu a 14 de Agosto de 1433, aniversário da Batalha de Aljubarrota, e deu início à 2.ª Dinastia da Monarquia Portuguesa, por ele chamada a Dinastia de Avis.

When he was only six years old, D. JOÃO I was appointed Master of the Order of Avis and it was this appointment which was to give its name to the royal proclamation of 1385.

Freed of the political crisis which had shaken the country in 1383 arising from the question of succession to the throne created by the death of D. Fernando, it was the Master of Avis who was given the dangerous task of executing the Galician adventurer Count Andeiro who, profiting from his excessive political influence over the regent Leonor Teles, was endangering the nation's independence.

D. João I, politically astute and intelligent, offered the nation a long reign and social stability, peace and progress, giving it the hope of independence, an era of overseas conquests and the start of the maritime discoveries.

He died on 14th August, 1433, the anniversary of the Battle of Aljubarrota, and so began the 2nd Dynasty of the Portuguese monarchy called, after him, the Avis Dynasty.

1960. Martins Correia *Cidade Universitária*

1981. Martins Correia *Cidade Universitária*

D. PEDRO V

D. PEDRO V foi dos mais inteligentes e cultos monarcas portugueses. Filho de D. Maria II, nasceu em 1837, subiu ao trono em 1853 e faleceu em 1861.
Durante o seu curto reinado fundou o Curso de Letras, a Escola Normal e deu impulso à cultura e ao ensino oficial.
A estátua que o homenageia está na Faculdade de Letras de Lisboa e é da autoria de Joaquim Martins Correia.

D. PEDRO V was one of the most intelligent and learned Portuguese kings. The son of D. Maria II, he was born in 1837, ascended the throne in 1853 and died in 1861.
During his short reign he established the Degree for Literature and public schooling, and stimulated learning and education. The statue that commemorates him is in the Lisbon Faculty of Arts and is by Joaquim Martins Correia.

ÁLVARO PAIS

ÁLVARO PAIS foi o ideólogo da revolução do Mestre de Avis e o estratega do assassínio do Conde Andeiro.
Não há memória certa da data do seu nascimento, mas, em 1383, era já um homem maduro aquele que encabeçou a revolta popular contra Leonor Teles e o domínio castelhano.
Havia exercido as funções de chanceler-mor nos reinados de D. Pedro e D. Fernando e era padrasto de João das Regras e companheiro de armas de Nuno Álvares Pereira.
Foi Álvaro Pais que despoletou o apoio do povo da cidade para a defesa do Mestre de Avis quando os gritos, vindos do Paço, avisavam que o mesmo corria perigo... reza a história que fora o chanceler a mandá-los soltar.

ÁLVARO PAIS was the ideologist of the revolution of the Master of Avis and strategist of the execution of Count Andeiro.
There is no clear record of his date of birth, but in 1383 he was already a grown man who led the revolt against Leonor Teles and Castilian domination.
He had been High Chancellor in the reigns of D. Pedro and D. Fernando and was stepfather to João das Regras and comrade-in-arms of Nuno Álvares Pereira.
It was Álvaro Pais who directed the support of the populace of the city to the defence of the Master of Avis when the shouts from the palace warned that he was in danger... legend has it that it was the Chancellor who made them shout.

1963. Teixeira Lopes — *Largo da Ajuda*

D. CARLOS

El-rei D. CARLOS nasceu em 1863, era filho de D. Luís e de D. Maria Pia de Sabóia, e subiu ao trono em 1889. Foi assassinado com seu filho, o príncipe herdeiro, por Buíça, em 1908, como represália por ter mandado deportar os responsáveis por uma revolta contra João Franco, seu primeiro-ministro.

O rei era um interessado em oceanografia e pintor de mérito e talento reconhecido. Todo o seu reinado foi marcado pela sombra da inquietação republicana.

D. CARLOS was born in 1863, the son of D. Luís and Dona Maria Pia of Savoy, and ascended the throne in 1889. He was assassinated in 1908 together with his son and heir, by Buiça, in retaliation for having deported those responsible for a revolt against João Franco, his Prime Minister.

The king was interested in oceanography and was a painter of merit and recognised talent. His whole reign was overshadowed by republican unrest.

1877. Simões de Almeida — *Cais do Sodré*

DUQUE DA TERCEIRA

ANTÓNIO JOSÉ DE SOUSA MENESES SEVERIM DE NORONHA nasceu em Lisboa no ano de 1792, e tendo seguido desde criança a sua inclinação para as armas foi alferes com 15 anos. Braço direito do constitucionalismo, o DUQUE DA TERCEIRA comandou em 1833 as forças militares que libertaram Lisboa, tendo derrotado os miguelistas na Batalha da Asseiceira. Morreu na capital em 1860.

A estátua que representa o marechal fardado, com o chapéu no braço esquerdo e o bastão na mão direita, é um monumento de linhas sóbrias e de agradáveis proporções e foi da autoria de Simões de Almeida, tendo sido inaugurado no dia 24 de Julho de 1877, aniversário da entrada em Lisboa das tropas liberais.

DUKE OF TERCEIRA

ANTÓNIO JOSÉ DE SOUSA MENESES SEVERIM DE NORONHA was born in Lisbon in 1792 and, having taken a keen interest in soldiering from early childhood, he became a second lieutenant at the age of 15.

The strong right arm of constitutionalism, in 1833 the Duke of Terceira commanded the military forces that liberated Lisbon, having vanquished the Miguelistas at the Battle of Asseiceira. He died in the capital in 1860.

The statue, which shows the Marshal in uniform with his hat under his left arm and his stick in his right hand, is a monument of sober design and agreeable proportion and is the work of Simões de Almeida, been inaugurated on 24th July, 1877, the anniversary of the entry into Lisbon of the liberating troops.

1904. Tomás Costa e Ventura Terra — *Praça Duque de Saldanha*

DUQUE DE SALDANHA

O DUQUE DE SALDANHA foi figura controversa, tendo-se notabilizado por ter sido o chefe do movimento da Regeneração. José Carlos de Oliveira Daun nasceu em Lisboa no ano de 1790 e faleceu em Londres, onde era à data embaixador, no ano de 1876, tendo a sua carreira nobiliárquica sido vertiginosa, passando em escassos anos de conde a marquês, por fim a duque. A estátua, inaugurada em 1909, é da responsabilidade arquitectónica de Ventura Terra e escultórica de Tomás Costa. Na base da estátua a figura alegórica da Vitória em bronze.

DUKE OF SALDANHA

The DUKE OF SALDANHA was a controversial figure, being notable for leading the Regeneration Movement. José Carlos de Oliveira Daun was born in Lisbon in 1790 and died in London in 1876, where he was ambassador at the time of his death, having risen very quickly through the ranks of nobility, in a few years passing from Count to Marquis and, finally, to Duke. The statue, inaugurated in 1909, is by the architect Ventura Terra and the sculptor Tomás Costa. An allegorical figure of Victory, in bronze, is on the base.

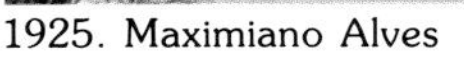
1925. Maximiano Alves *Praça Príncipe Real*

1870. Vítor Bastos *Praça de S. Bento*

FRANÇA BORGES

ANTÓNIO FRANÇA BORGES nasceu em Sobral de Monte Agraço, a 10 de Janeiro de 1871, tendo falecido em Novembro de 1915.

Funcionário da Fazenda, foi porém como jornalista e lutador pelos ideais republicanos que se notabilizou.

Trabalhou e dirigiu nas redacções dos jornais «Vanguarda», «País», «A Lanterna» e «A Pátria».

Escreveu textos apaixonados contra a ditadura franquista e assinou com Heliodoro Salgado o panfleto «O Combate».

Deputado pelo Partido Republicano, fundou em Novembro de 1890 o jornal «O Mundo», que dirigiu até à sua morte e do qual fez tribuna contra o regime monárquico.

ANTÓNIO FRANÇA BORGES was born in Sobral de Monte Agraço on 10th January 1871 and died in November 1915.

He was a civil servant, but it was as a journalist and fighter for republican ideals that he was best known.

He worked and directed the newspapers Vanguarda, País, A Lanterna and A Pátria.

He wrote impassioned articles against the Frankish dictatorship and co-signed the pamphlet «O Combate» (The Fight), with Heliodoro Salgado.

As a Deputy of the Republican party he established, in November 1890 the newspaper «O Mundo», which he directed until his death and in which he spoke out against the monarchy.

JOSÉ ESTÊVÃO

JOSÉ ESTÊVÃO COELHO DE MAGALHÃES, estátua da autoria de Vítor Bastos que se ergue em bronze na Praça de S. Bento, nasceu em Aveiro no ano de 1809 e morreu em 1869, tendo dele ficado famosas as polémicas oratórias desenvolvidas contra Almeida Garrett. Guarda-se a memória dos seus empolgantes discursos parlamentares e foi oficial valoroso e brilhante professor da Escola Politécnica.

JOSÉ ESTÊVÃO COELHO DE MAGALHÃES: his statue, modelled by Vitor Bastos was erected in the Praça de S. Bento. He was born in Aveiro in 1809 and died in 1869.

He is remembered chiefly for the controversial speeches against Almeida Garrett and he was also remembered for his brillant discourses in Parliament. He was a valued official and illustrious professor of the Polytechnic.

1909. Costa Mota

Jardim Teófilo Braga

MARIA DA FONTE

MARIA DA FONTE é uma figura de mito que a lenda consagrou e que reflecte o papel corajoso das mulheres na primeira fase da Guerra Civil, em Abril/Maio de 1846.

Os primeiros distúrbios terão ocorrido no concelho de Póvoa de Lanhoso, freguesia de Fonte Arcada.

A fúria do povo atacava a reforma da saúde, a miséria, a queda dos salários agrícolas, a invasão burocrática.

Aos milhares de camponeses se juntariam artesãos, operários, estudantes, párocos e até figuras da nobreza como o Morgado de Mateus e o Visconde de Vinhais, mas à revolta foi dado o nome de Maria da Fonte em homenagem patriótica à mulher do povo de Portugal.

MARIA DA FONTE is a mythical figure that legend has consecrated, who embodies the courageous role of women in the first phase of the civil war in April/May 1846.

The first rumblings began in the district of Póvoa de Lanhoso, in the county of Fonte Arcada.

The fury of the people was aimed at health reform, poverty, the fall in agricultural wages, bureaucratic invasion.

Thousands of fieldworkers were joined by artesans, labourers, students, parsons and even some nobles, like the squire of Mateus and the Viscount of Vinhais, but the revolt was given the name of Maria da Fonte as a patriotic homage to the women of Portugal.

ANTÓNIO JOSÉ DE ALMEIDA foi uma das figuras mais populares dos primórdios da República.

Nasceu em Vale da Vinha, Penacova, no ano de 1866, e faleceu em Lisboa a 31 de Outubro de 1929.

Desde muito novo defendeu ideais republicanos e, ainda estudante de Medicina, publicou no jornal da Academia um extenso e violento artigo — «Bragança, o Último» —, que lhe valeu três meses de prisão. Acabado o curso partiu para S. Tomé, onde exerceu a sua profissão até 1904. Depois, foi o regresso à capital e às lides políticas, destacando-se como orador e sendo o ídolo dos comícios populares. Voltou a ser preso em 1908.

Proclamada a República em 1910, foi nomeado ministro do Interior do primeiro Governo Provisório, tendo nessa qualidade reformulado a guarda real e criado a Guarda Nacional Republicana.

Não se conseguindo entender, os três líderes do Partido Republicano Português separam-se e cada um forma o seu. António José de Almeida funda o Partido Republicano Evolucionista e cria o jornal que lhe dá voz e do qual era director — «A República».

A 6 de Agosto de 1919 é eleito Presidente da República, sendo o único Presidente desta época a cumprir o mandato até ao fim, apesar das muitas perturbações nascidas de constantes guerras entre os partidos. Após a sua morte um grupo de amigos e correligionários publica em três volumes uma compilação dos seus discursos, importante para o estudo da época — «40 Anos de Vida Literária e Política».

O monumento que associa a figura do orador eloquente e apaixonante à figura da República, que aliás sobressai da estátua, foi esculpido por Leopoldo de Almeida e inaugurado a 31 de Dezembro de 1937.

Junto a ele se presta homenagem aos heróis da revolução e durante muitos anos o local foi ponto de encontro dos que lutavam por outras democracias e outras liberdades.

O movimento revolucionário que levou à implantação da República a 5 de Outubro de 1910, foi desencadeado por um assalto ao quartel de Infantaria 16, que um grupo de civis armados, comandado por Machado Santos, levou a cabo.

Foram conturbados os primeiros passos do novo regime e sucederam-se governos e presidentes... leva tempo a fazer-se uma república.

ANTÓNIO JOSÉ DE ALMEIDA was one of the most popular figures in the early days of the Republic.

He was born in Vale da Vinha, Penacova, in 1866 and died in Lisbon on 31st October 1929.

As a very young man he already supported republican ideals and, when still a medical student, he published an extensive and violent article in the Academic Journal — «Bragança, The Last» — which earned him three months in prison. After graduating, he went to S. Tomé where he practiced medicine until 1904. He then returned to the capital and became involved in its political life, making a name for himself as a speaker and becoming the idol of public meetings. In 1908 he was again imprisoned.

With the proclamation of the Republic in 1910, he was appointed Minister of the Interior of the 1st provisional government and, as such, he reduced the Royal Guard and created the National Republican Guard.

Because they could not reach agreement among themselves, the three leaders of the Republican Party separated and each formed a new party.

António José de Almeida formed the Evolutionary Republican Party and started a newspaper that printed his views and of which he was the Director — «A República».

On 6th August 1919 he was elected President of the Republic, being the only President of the period to complete his mandate, in spite of the many disturbances brought about by the constant hostility between the parties. After his death, a group of his friends and co-legionaries published, in three volumes, a collection of his speeches, of great significance to any student of the period: «40 Years of a Literary and Political Life».

The monument that links this eloquent and passionate speaker to the figure of the Republic which stands out on the statue, was sculpted by Leopoldo de Almeida and was inaugurated on 31st December 1937.

Next to him is a memorial to the heroes of the revolution and, for many years, it was a meeting place for all those who fought for other democracies and other freedoms.

The revolutionary movement that led to the establishment of the Republic on 5th October, 1910, was sparked off by a successful attack on the barracks of Infantry Company No. 16 by a group of armed civilians commanded by Machado Santos.

The first steps of the new regime were stumbling, and new governments and presidentes followed — it takes time to form a Republic.

1937. Leopoldo de Almeida *Avenida António José de Almeida*

De quantas graças tinha a Natureza
Fez um belo e riquíssimo tesouro,
E com rubis e rosas, neve e ouro,
Formou sublime e angélica beleza.
Pôs na boca os rubis, e na pureza
Do belo rosto as rosas, por quem mouro;
No cabelo o valor do metal louro;
No peito a neve em que a alma tenho acesa.
Mas nos olhos mostrou quanto podia,
E fez deles um sol, onde se apura
A luz mais clara que a do claro dia.
Enfim, Senhora, em vossa compostura
Ela a apurar chegou quanto sabia
De ouro, rosas, rubis, neve e luz pura.

LUÍS DE CAMÕES

Nature of all her graces infinite
Formèd a Treasury filled with rarest show;
And with her Rubins, Roses, Gold and Snow,
Framèd that form sublime, Angelick-bright.
Rubins in lips she set, on the pure light
Of face I die for, garred she Roses grow;
Taught the blonde metal in the locks to flow,
And snowed the bosom that enfires my sprite.

But in those eyne her Power showed best display;
She made of them a Sun that doth depure
Radiance to clearer than the clearest day.
For brief, my Ladye, in your ornature
She lavisht purity (far as Nature may)
Of Rubins, Roses, Snow, bright Gold, Light pure.

LUÍS DE CAMÕES

Tradução de Richard F. Burton, extraída da obra «The Lyricks» — Parte I, editada por Bernard Quaritch, Londres, em 1884.

1953. Stella *Parque Eduardo VII*

«DESPERTAR» 1921. Simões de Almeida (sob.) *Jardim da Estrela*

«A GUARDADORA DE PATOS» — Costa Mota (sob.) *Jardim da Estrela*

Bairro de São Miguel

«MÃE E FILHO» *Parque do Alvito*

«MÃE E FILHO» 1984. Rogério Machado *Avenida 5 de Outubro*

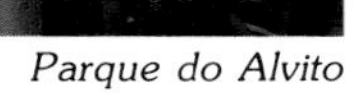

António Duarte *Parque Eduardo VII*

António Duarte *Parque Eduardo VII*

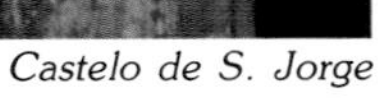

Castelo de S. Jorge

1960. Leopoldo de Almeida *Restelo*

1949. António Duarte *Jardim do Campo Grande*

1954. Stella *Parque Eduardo VII*

1958. Euclides Vaz *Parque Eduardo VII*

Barata Feyo *Praça Afonso de Albuquerque*

Barata Feyo *Praça Afonso de Albuquerque*

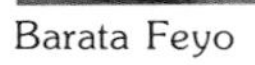

Barata Feyo — *Praça Afonso de Albuquerque*

Barata Feyo — *Praça Afonso de Albuquerque*

1956. Júlio Vaz Júnior — *Avenida Gomes Pereira - Benfica*

Eu bem sei que te chamam pequenina
e ténue como o véu solto na dança,
Que és no juízo apenas a criança,
Pouco mais, nos vestidos, que a menina...

Que és o regato de água mansa e fina,
A folhinha do til que se balança,
O peito que em correndo logo cansa,
A fronte que ao sofrer logo se inclina...

Mas, filha, lá nos montes onde andei,
Tanto me enchi de angústia e de receio
Ouvindo do infinito os fundos ecos,

Que não quero imperar nem já ser rei
Senão tendo meus reinos em teu seio
E súbditos, criança, em teus bonecos!

ANTERO DE QUENTAL

I know well that they call you little
And tenuous as a floating veil,
That in wisdom you are but a child,
Little more, in your dress, than a girl...

That you are the delicate and gentle brook,
The young leaf that trembles on the tree,
The breast that in running quickly tires,
The brow that in suffering inclines...

But, child, there on the hills where I have wandered,
So filled was I with anguish and fear
Hearing the endless echoes of infinity

That I no longer wish to command nor be king
Unless my realms are in your breast
And its subjects, child, your toys!

ANTERO DE QUENTAL

1949. Leopoldo de Almeida *Jardim das Francesinhas*

«TORSO DE HOMEM» — Dorita Castel-Branco *Avenida das Descobertas - Restelo*

«TORSO DE MULHER» — Dorita Castel-Branco *Avenida das Descobertas - Restelo*

«PELA CULTURA DO ESPÍRITO O DOMÍNIO DA FORÇA»

1982. Leopoldo de Almeida — *Palácio da Justiça*

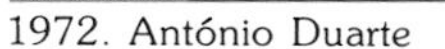

1972. António Duarte — *Praça de Alvalade*

1982. Domingos Soares Branco — *Largo St.º António*

SANTO ANTÓNIO

«Santo António de Lisboa
Ó meu santo padroeiro!
Fazei que o moço que eu amo
Não seja namoradeiro!»

O Santo mais popular dos santos festejados em Lisboa, nasceu na cidade em 1195 e era filho de Martim de Bulhões e de Teresa Taveira. Festeja-se com arraiais, quadras soltas, manjericos e casamentos, já que, quer a tradição, a ele se entregam os apaixonados e doentes de amor. É dele a noite de 13 de Junho, feriado municipal.

ST. ANTONHY

«Saint Anthony of Lisbon
Oh, my patron saint!
Let not the youth I love
Turn out to be inconstant!»

The most popular saint honoured in Lisbon was born in the city in 1195 and was the son of Martim de Bulhões and Teresa Taveira. He is commemorated with night-time open-air feasting and square dancing, pots of basil and weddings, since according to tradition, to him come the lovers and the lovelorn. His is the night of 13th June, a Municipal holiday.

1970. Raul Xavier — *Miradouro de St.ª Luzia*

S. VICENTE

Era S. VICENTE jovem diácono de Valência quando contra ele se levantou a perseguição de Daciano, perfeito de Roma. Encarcerado numa masmorra, aí foi sujeito às mais duras torturas, acabando por morrer. Estava-se no ano de 304, e este foi um dos muitos episódios que marcaram a luta dos cristãos contra a intransigência de César.

Da morte do diácono nasceu, porém, a lenda, recolhida e transmitida de geração em geração.

Daciano, a fim de evitar o culto das relíquias, mandou que os restos mortais de Vicente fossem lançados num pântano, fora dos muros da cidade, para que as feras os devorassem. Porém, corvos montaram-lhes guarda, impedindo qualquer profanação, e os milagres aconteceram.

S. Vicente, a barca que o transportou e os corvos que o protegeram são, ainda hoje, o emblema da cidade.

ST. VINCENT

ST. VINCENT was a deacon from Valencia persecuted by Daciano, Prefect of Rome. Imprisoned there in a dungeon, subjected to the most terrible tortures, he finally died. It was the year 304 and this was one of many episodes that marked the struggle between Christians and the intransigence of Caesar.

The deacon's death gave rise to a legend that has been passed on from generation to generation.

Daciano, in order to avoid the cult of relics, ordered St. Vincente's corpse to be flung in a swamp outside the city walls where it would be devoured by wild beasts. However, crows mounted guard over his body hindering its profanation, and miracles happened.

St. Vincent, the barque that carried him and the crows that protected him are still today the emblem of the city.

1969. Leopoldo de Almeida — *Rotunda do Aeroporto*

S. CRISTÓVÃO

Lindíssima a estátua de Leopoldo de Almeida, inaugurada a 25 de Julho de 1969 na Rotunda do Aeroporto de Lisboa.

É S. CRISTÓVÃO o padroeiro dos viajantes e assim o representa o mestre escultor, transportando ao ombro o menino que tão frágil havia parecido ao santo no começo da viagem para que, no fim, agonizante, entendesse que era o mundo inteiro que transportava aos ombros.

ST. CHRISTOPHER

There is a lovely statue by Leopoldo de Almeida, inaugurated on 25th July 1969, on the roundabout at Lisbon Airport.

It is of ST. CHRISTOPHER, patron saint of travellers, and it is as such that the sculptor has represented him, carrying on his shoulder the child, seeming so light a burden at the beginning of the journey but who, at the end, the exhausted saint realised was the world he was carrying on his back.

Luís Matos — *Praça S. João Bosco*

S. JOÃO BOSCO

JOÃO BOSCO nasceu em 1815 e faleceu em 1888.

Sacerdote e educador, consagrou toda a sua vida à instrução popular e gratuita de crianças socialmente desfavorecidas.

Fundou a Ordem dos Salesianos, a quem se deve a estátua que o homenageia. No ano de 1859 criou a Pia Sociedade de São Francisco de Sales e, alguns anos mais tarde, a Congregação das Filhas de Maria Auxiliadora. Dotado de uma sensibilidade muito especial, foi um pedagogo de mérito, centrando o ensino nos alunos e procurando adaptá-lo ao meio e às reais aspirações e vocações dos educandos.

João Bosco foi canonizado em 1934.

ST. JOHN BOSCO

JOÃO BOSCO was born in 1815 and died in 1888.

A priest and teacher, he dedicated his life to teaching, without charge, children who were socially ill-favoured.

He established the Order of Silesian priests, to whom is owed his memorial statue. In 1859 he formed the Pious Society of St. Francis of Sales and, some years later, the congregation of the Daughters of Maria Auxiliadora. Blessed with a very special sensitivity, he was a teacher of merit, centralizing his teaching on his pupils and adapting it to their resources and real aspirations and vocations.

João Bosco was canonised in 1934.

Reinaldo Manuel dos Santos — *Largo Dr. José de Figueiredo*

1972. Fernando Fernandes — *Praça de Londres*

VÉNUS E CUPIDO

CUPIDO, o Deus do amor, era filho de Vénus e o archeiro do desejo e da paixão.
Os Romanos o adoptaram da mitologia grega, onde tinha o nome de EROS, mas trouxeram o arco e a flecha, os costumes e os dons.
Um e outro apanhavam desprevenidos os humanos e, cravando--lhes a seta, de súbito os tornavam enamorados!
VÉNUS, a Deusa da beleza na mitologia latina, era identificada como Afrodite no Olimpo dos Gregos.
Personificava os dotes físicos, o resplendor, a graça.
Quando abençoava um mortal este tornava-se irresistível, e então seu filho Cupido transformava-o em senhor e escravo do amor!

VENUS AND CUPID

CUPID, God of Love, the son of Venus and also the Archer of Love and Desire.
The Romans adopted him from Greek mythology where he was called EROS, but they gave him the bow and the arrow, its use and its power. Together they would find a defenceless mortal and by shooting him with an arrow he would immediately become enamoured.
VENUS, the Goddess of Beauty in Latin mythology, was identified as Aphrodite in the Greek Olympus.
She personified the physical endowments, the glitter, the grace.
When she blessed a mortal, he would become irressitible and then her son, Cupid, transformed him into a master and a slave of love.

AS TRÊS GRAÇAS

AGLAIA, EUFROSINA, TÁLIA. As três graças chegam-nos da mitologia grega, oferecendo aos homens encanto e beleza, contrapondo-se à crueldade, tantas vezes aleatória dos deuses seus familiares. Filhas de Zeus e de Eurínome, fazem com as musas dois grupos de irmãs fadadas para deleite das divindades e dos mortais.
Aglaia, a deusa do esplendor; Eufrosina, a deusa da alegria, e Tália, a deusa da boa disposição, enchiam de felicidade o Olimpo quando dançavam ao som da lira de Apolo.
Elas eram as rainhas da canção e da dança, e assim as representa a escultura de pedra da autoria de Fernando Fernandes, executada em 1972, inaugurada na Praça de Londres.

THE THREE GRACES

AGLAIS, EUPHROSYNE, THALIA. The Three Graces come to us from Greek mythology, offering man enchantment and beauty, opposing cruelty, so often the prerogative of the Gods, their intimates. Daughters of Zeus and Eurínome, they and the Muses form two groups of enchanted sisters for the delight of the Gods and mortals.
Aglaia, the Goddess of Splendour, Euphrosyne, the Goddess of Joy and Thalia, the Goddess of Good Humor filled Olympus with happiness when they danced to the sound of Apollo's lyre.
They were the Queens of Song and Dance and it is thus that they are depicted in the sculpture by Fernando Fernandes, modelled in 1972 and inaugurated in the Praça de Londres.

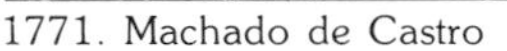

1771. Machado de Castro — *Largo Dona Estefânia*

1923. Francisco Santos — *Jardim Constantino*

NEPTUNO

NEPTUNO é filho de Saturno e da Terra, protector de pescadores, navegadores e marinheiros, e é com este nome uma apropriação do deus grego Posídon, irmão de Zeus, e senhor do mar e dono de um palácio fabuloso nas profundezas marítimas.

Foi ele que deu ao homem o primeiro cavalo.

Comandava a Tempestade e a Bonança e ao seu mando surgiam os ventos e as marés.

Com o seu tridente agitava as calmarias ou destruía os inimigos. Foi desde a Antiguidade o deus dos países de marinheiros, que acreditavam ser por ele protegidos.

NEPTUNE

NEPTUNE is the son of Saturn and Earth, protector of fishermen, navigators and sailors and it is by this name, taken from the Greek god Poseidon, brother of Zeus, that he is known as lord of the sea, inhabiting a fabulous palace in the depths of the ocean. He gave the first horse to mortals.

He commanded the tempest and the calm weather at sea and dominated the winds and seas.

With his trident he could agitate calm waters and destroy enemies. From ancient times he was the God of navigators who believed themselves protected by him.

PROMETEU

PROMETEU é um dos deuses da mitologia grega cuja lenda mais deu origem a poemas e tragédias clássicas. Grande Titã, filho de Jápeto e Clímene, ele é celebrado como o criador e amigo da Humanidade.

Para dar vida ao homem de barro que havia esculpido, roubou a Zeus o fogo sagrado. Zeus castigou-o, mandando-o acorrentar a um penhasco, onde um abutre lhe devorava o fígado, que de novo crescia para que o tormento se reproduzisse sem cessar.

Ésquilo fez sobre a lenda o belíssimo poema: «Acorrentado».

PROMETHEUS

PROMETHEUS is a God of Greek mythology whose legend, more than any other, gave origin to poems and classical tragedies. Great Titan, son of Iapetus and Clymene, he is famed as the creator and friend of mankind.

He stole the sacred fire from Zeus to bring life to the statue of man he had fashioned. Zeus punished him by having him chained to a rock where an eagle fed on his liver which, to torment him, was perpetually restored.

Based on this legend Aeschylus wrote his beautiful poem: Prometheus Bound.

Alexandre Gomes — *Avenida da Liberdade*

O TEJO

O TEJO nasce em Espanha, na serra de Albarracim, para lá de Madrid, e percorre cerca de 800 quilómetros, banhando cidades dos dois países, atravessando os planaltos de Castela, ligando a história, os mitos, os caminhos.

Umas vezes fronteira, outras apenas linha de água, poucos rios na Europa terão papel tão marcante na defesa do ideal cristão, e nenhum outro se acha tão semeado de castelos medievais.

Em Portugal tem a sua bacia hidrográfica dividida em três zonas, que grosseiramente o distinguem: de Lisboa a Tancos, de Tancos a Belver, de Belver à fronteira.

Mas ei-lo representado em estátua como um Deus, atento ao evoluir das margens, porque desde sempre o Homem acreditou que a água era a fonte da vida.

THE TAGUS

The source of THE TAGUS is in Spain, on the mountain of Albarracim beyond Madrid, and flows for almost 800 kms. past cities in both countries, crossing the tableland of Castela, linking history, mythology and highways.

Sometimes a frontier, at others merely a watercourse, few European rivers have played such an important role in the defence of Christian ideals and none other is so studded with mediaeval fortresses.

In Portugal, its basin is divided roughly into three zones: Lisbon to Tancos, Tancos to Belver, Belver to the frontier.

It is represented on a statue as a God watching over its margins, because Man has always believed that water was the fountain of life.

Alexandre Gomes — *Avenida da Liberdade*

O DOURO

Nasce o DOURO em Picos de Urbión, por terras de Espanha, percorre a Meseta setentrional, atravessa Portugal de Este a Oeste e desagua por largo estuário em pleno Atlântico.

Não se deixa navegar no seu curso de 913 quilómetros e os antigos lhe chamavam o Rio do Ouro, porque dele nascia a beleza das margens, o vinho que o tornou famoso, os tons bem especiais com que reflecte a Lua.

A estátua que o celebra, de pedra e em tamanho um pouco superior ao normal, está num dos lados da Avenida da Liberdade e foi realizada por Alexandre Gomes.

THE DOURO

The DOURO rises in Picos de Urbion, in Spain, flows across the Setentorial plateaux to the west and pours out through a wide estuary into the Atlantic.

It is not navigable along its 913 kms. length and it was known by the ancients as the River of Gold because of the beauty of its riverbanks, the wine that made it famous, its colour when reflecting the moon.

The statue of the river, in stone and somewhat larger than life, is in one of the ponds in the Av. da Liberdade, the work of Alexandre Gomes.

1935. Raul Xavier *Parque Eduardo VII - Pavilhão dos Desportos*

1945. Raul Xavier *Parque Eduardo VII - Pavilhão dos Desportos*

A ARTE

Raul Xavier realizou, em 1945, a estátua de pedra que simboliza a ARTE. Ei-la figura de mulher, simbolicamente ligada à capacidade de exprimir sentimentos através dessa actividade tão antiga como o Homem, que quase se diria uma função biológica.

Entre os povos primitivos servindo o diálogo ou a magia, ligada posteriormente a um objectivo social, agarrando o mito ou a religião, transmitindo conceitos abstractos, como a angústia ou a beleza.

De carácter utilitário ou estético, a arte é a busca da perfeição, a recriação do real mergulhado num imaginário especial que dá, a cada homem, essa capacidade de ser diferente, sendo semelhante a todos os outros.

ART

The stone statue that symbolises ART was created by Raúl Xavier in 1945. It is the figure of a woman, symbolically linked to the capacity for expressing feelings by means of an activity as old as Man himself, which might almost be called a biological function.

A means of communication, or magic, among primitive peoples, linking the past to a social objective, grasping myth or religion, transmiting abstract concepts such as anguish or beauty.

Utilitarian or aesthetic in character, art is the search for perfection, the recreation of reality in a particular image that gives every man the capacity to be different, being similar to all others.

A CIÊNCIA

Eis a CIÊNCIA, associada à figura de um mocho que simboliza a Sabedoria.

O «saber» das coisas: a natureza, o homem, a sociedade.

Conhecer, por meio da observação e da experimentação, a explicação dos dados lógicos dos fenómenos empíricos.

Descobertas as leis que explicam os factos, ei-los previsíveis, antecipáveis, controláveis.

E não será a ciência a busca da verdade que incessantemente o homem procura?

Saber porque morre e se transforma, e qual a sua tarefa neste carrocel cósmico.

SCIENCE

The statue to SCIENCE is that of an owl, the symbol of knowledge.

The knowledge of things: nature, man, society. To know by observation and experimenting the meaning of logical data, empiric phenomena.

With the discovery of the laws that explain facts, they become foreseeable, anticipated, controllable.

And is not science the search for truth that men fovever seek?

To know they die and perish and what is their purpose in this cosmic merry-go-round.

1927. Júlio Vaz Júnior

Miradouro de Santa Catarina

ADAMASTOR

Não acabava, quando hũa figura
Se nos mostra no ar, robusta e válida,
De disforme e grandíssima estatura;
O rosto carregado, a barba esquálida,
Os olhos encovados, e a postura
Medonha e má e a cor terrena e pálida;
Cheios de terra e crespos os cabelos,
A boca negra, os dentes amarelos.

Tão grande era de membros, que bem posso
Certificar-te que este era o segundo
De Rodes estranhíssimo Colosso,
Que um dos sete milagres foi do mundo.
Cum tom de voz nos fala, horrendo e grosso,
Que pareceu sair do mar profundo.
Arrepiam-se as carnes e o cabelo,
A mi e a todos, só de ouvi-lo e vê-lo!

OS LUSÍADAS — CANTO V
LUÍS DE CAMÕES

It moved not; when a figure to appal,
Robust and vigorous, in the air appeared;
Enormous, and of stature very tall,
The visage frowning, and with squalid beard;
The eyes were hollow, and the gesture all
Threatening and bad; the colour pale and seared;
And full of earth and grizzly was the hair;
The mouth was black, the teeth all yellow were.

So vast he was of Limb, that well I can
Assure thee he was second of the size
Of Rhodes' most marvellous colossal man,
Who of the world's seven wonders one supplies:
With voice deep-toned and horrid, he began,
Which seemed from Ocean's very depth to rise;
It made flesh creep, hair stand on end, in me
And all, if but to hear him and to see!

OS LUSÍADAS — CANTO V
LUÍS DE CAMÕES

ranslation by: J. J. AUBERTIN, printed in London 1878 by C. Kegan Paul & Co., 1 Paternoster Square)

Homens de carga! Assim as bestas vão curvadas!
Que vida tão custosa! Que diabo!
E os cavadores pousam as enxadas,
E cospem nas calosas mãos gretadas,
Para que não lhes escorregue o cabo.

Povo! No pano cru rasgado das camisas
Uma bandeira penso que transluz!
Com ela sofres, bebes, agonizas;
Litros de vinho lançam-lhe divisas,
E os suspensórios traçam-lhe uma cruz.

CESÁRIO VERDE

Men of burden! Thus do beasts curve their backs!
How hard your life! How damnable!
And the diggers rest their hoes,
And spit on their calloused, chapped hands,
For the stock not to slip through them.

Workers! In the torn cotton of your shirt
I see a banner shining through!
With it you suffer, drink, agonise;
Litres of wine raise your stature
And with the straps a cross is formed.

CESÁRIO VERDE

«O CAVADOR» 1913. Costa Mota *Jardim da Estrela*

1904. Costa Mota — *Jardim São Pedro de Alcântara*

O ARDINA

Era o ARDINA o símbolo de uma comunicação que, vindo ao leitor, a ele procurava no brado rouco do jovem irrequieto, anunciando «as gordas», os cabeçalhos de sensação, o último desastre, os novos impostos.

Hoje é o leitor que procura nas bancas o jornal escolhido e o grito desgarrado do «Olha A Bola, Século, É o Lisboa» não se ouve na cidade, nem desperta o mais renitente para o novo semanário. Resta desse vendedor de sacola a estátua de bronze, integrada no monumento a Eduardo Coelho, erguida no Jardim de S. Pedro de Alcântara em 1904 e executada por Costa Mota (tio).

THE NEWSVENDOR

The NEWSVENDOR was the symbol of information imparted to the reader by means of the hoarse cry of a restless youth announcing the latest «scandals», the sensational headlines, the latest disaster, the new taxes. Today it is the reader who takes from the counter the newspaper of his choice, and the tonal quality of the cry: «Get your 'A Bola', 'Século', 'Lisboa'» is no longer heard in the city, no longer encourages the most recalcitrant to buy the latest weekly. The only thing that remains to remind us of that satchel-carrier is a bronze statue by Costa Mota (uncle) integrated in the monument to Eduardo Coelho, erected in the gardens of S. Pedro de Alcântara in 1904.

1987. Fernando Assis — *Largo Trindade Coelho*

O CAUTELEIRO

Figura conhecida na cidade, O CAUTELEIRO, ainda hoje invade um café, um transporte público, uma rua, e de bilhetes na mão oferecida, faz-nos sonhar com a sorte e tentar o número preferido.

Ao som aguerrido do pregão «Olha a taluda! Anda amanhã à roda», sempre alguém compra a magia de se imaginar de súbito rico...

E sair, sai sempre, como sempre se renova essa tentação e a passagem pelo cauteleiro em vésperas de sorteio.

THE LOTTERY SELLER

A familiar figure of the city's streets, THE LOTTERY SELLER still invades the café, public transport vehicles, streets and, with tickets in outstretched hand, makes us dream about lucky chance and risk a favourite number.

At the strident cry: «See the winning number! Tomorrow it will be drawn!», someone is always tempted by visions of sudden riches...

And the draw always takes place, as does the constant renewal of hope and the advent of the lottery ticket seller on the eve of the draw.

1965. José Laranjeira Santos — *Bairro da Encarnação*

1915. Francisco Santos — *Cais do Sodré*

A VARINA

Na fala de David Mourão-Ferreira, assim é uma das mais típicas figuras da cidade de Lisboa...

«É varina, usa chinela
tem movimentos de gata.
Na canastra, a caravela;
no coração, a fragata.

Vende sonho e maresia,
tempestades apregoa.
Seu nome próprio, Maria.
Seu apelido, Lisboa.»

THE FISHWIFE

To paraphrase David-Mourão Ferreira's description of one of the most typical figures of Lisbon:

«See the fishwife in her slippers
moving with catlike grace.
In her basket, a caravel;
In her heart, a pinnace.

She sells dreams and sea tang,
She cries the storms.
Her first name is Maria.
Her surname — Lisboa.

AO LEME — O PESCADOR

«AO LEME», estátua em pedra de Francisco Santos, figura um pescador luso, em esforço, corpo acompanhando o barco que à vaga resiste. Simboliza as origens deste povo que ao mar roubava o alimento e que ainda hoje remenda redes e pinta cascos nas vilas ribeirinhas.

País ligado ao mar e cidade ligada ao rio, Lisboa-Portugal é bem um «mundo» de navegadores e pescadores e a figura em homenagem pode ainda ver-se aqui e ali em madrugada de vaga alta, a achegar-se a um cais, barqueiro ou marinheiro agarrado ao leme.

A estátua, situada no Cais do Sodré, foi construída em 1915.

FISHERMAN AT THE HELM

«AT THE HELM», a statue in stone by Francisco Santos, shows a Portuguese fisherman bending his body in rhythm with the boat against the waves. It symbolises the origins of these people who wrested their nourishment from the sea and, even today, mend their nets and paint the hulls in the fishing villages by the sea.

A country linked to the sea, and a city linked to the river, Lisbon-Portugal is truly a «world» of navigators and fishermen and the figure pays tribute to those that can still be seen, here and there, at dawn in heavy seas, making fast to a dock, boatman or sailor clinging to the helm.

The statue, which is in the Cais do Sodré, was built in 1915.

1918. Costa Mota *Largo da Estrela*

1981. Dorita Castel-Branco *Santa Apolónia*

O LAVRADOR/SAGRADA FAMÍLIA

A obra «O Lavrador» ou «Sagrada Família» é do escultor Costa Mota (tio) e constitui um conjunto muito vivo de carácter realista, revelado através do tratamento dos pormenores e da expressividade das figuras, particularmente belas.

Todo o grupo é pleno de naturalidade e as faces dos elementos que o compõem parecem viver numa expressão de serena bondade.

A estátua foi realizada em 1918.

THE FARM LABOURER

The statue «The Farm Labourer» or «The Holy Family», by the sculptor Costa Mota, consists of a very vivid group, realistic in character, showing in its detailed work the expressiveness of the figures which are particularly beautiful.

The grouping is very natural and the faces seem to reflect a deep serenity.

The statue was erected in 1918.

EMIGRANTE

«Ei-los que partem, novos e velhos
buscando sorte noutras paragens
onde o suor se fez em pão.
Virão um dia, ricos ou não...»

País de emigração, Portugal viu, durante décadas, partir os seus cidadãos, rejeitados por uma agricultura difícil, ou uma indústria de baixos salários. Buscavam assegurar, a maioria deles, uma reforma na terra de origem, uma casa, um lote de terra. Deles chegavam grande parte das poupanças, já que era no seu país que continuavam a imaginar um futuro melhor.

O monumento, inaugurado em 10 de Junho de 1981, por iniciativa do jornal «O Tempo», é da autoria de Dorita Castel-Branco e ergue-se na Praça do Museu Militar, frente à Estação de Santa Apolónia.

THE EMIGRANT

*«See them leaving, young and old
Seeking fortune on foreign shores
Where sweat transforms to bread.
One day they will return, rich or not...*

Land of emigrants, for tens of years Portugal watched its citizens leaving, rejected by difficult agricultural conditions or by poorly paid industrial work. Most of them sought to secure an old age back in their homeland, a home, a plot of land. A large proportion of their savings returned to the country of their birth since it was there that they hoped for a better future.

The monument, erected on 10th June 1981 through the initiative of the newspaper «O Tempo», is by Dorita Castel-Branco and stands in the square of the Military Museum in front of the Sta. Apolonia railway station.

JEAN MONNET

JEAN MONNET pode ser considerado o fundador da Europa Comunitária, que, desde 1950, se desenvolve diariamente com base nas iniciativas e objectivos por ele idealizados.

Nascido em Cognac no ano de 1888, é como negociante da bebida dessa região que ele inicia as suas viagens pelos quatro cantos do Mundo, ganhando desde muito novo uma visão alargada das teias onde os negócios nascem e as políticas evoluem.

Em 1914, com 26 anos de idade, Monnet tenta convencer franceses e ingleses da vantagem de administrarem em conjunto o que ele considerava a espinha dorsal da guerra: o abastecimento. Em 1918, estava à frente do Comité Aliado dos Transportes Marítimos e tinha semeado a filosofia da cooperação europeia.

Com 33 anos é nomeado secretário-geral-adjunto da Sociedade das Nações. Na Primavera de 1950 redige o Relatório Shuman que cria a Comunidade Europeia do Carvão e do Aço, embrião das comunidades do género.

Em 1976, Jean Monnet é declarado Cidadão de Honra da Europa. Morre em Bazoches-sur-Guyonne, a 16 de Março de 1979.

JEAN MONNET can be considered the founder of the European Community which, since 1950, has been developing daily, based on the initiatives and objectives idealized by him.

Born in Cognac in 1888, it was as a salesman of the wines of that region that Monnet began his voyages to the four corners of the world acquiring, from an early age, a widened vision of the webs where commerce begins and politics follow.

In 1914 when he was 26 years old, Monnet tried to convince the French and the English of the advantages in jointly administering what he considered to be the backbone of the war: supplies. In 1918 he was at the forefront of the Allied Committee of Maritime Transport and had planted the seed of European Co-operation.

At the age of 33 he was appointed Assistant General Secretary to the Society of Nations. In the Spring of 1950 he drew up the Schuman Plan, created the European Community of Coal and Steel, the embryo for other communities of this type.

In 1976 Jean Monnet was declared Honorary Citizen of Europe. He died in Bazoches-sur-Guyonne on 16th March, 1979.

C. Brieu

Rua do Salitre

1985. Albert Bruce. Joy *Parque Eduardo VII*

1978. Arturo R. Aguilero *Avenida da Liberdade*

EDUARDO VII

Sua Alteza Real EDUARDO VII de Inglaterra foi filho da rainha Vitória e do príncipe Alberto e nasceu no ano de 1841.
Tendo conquistado grande notoriedade como príncipe de Gales, foi um viajante apaixonado, hábil diplomata, e conquistou amigos pessoais em quase todas as cortes do seu tempo.
Subiu ao trono já em idade avançada, em 1901, e a primeira viagem oficial que empreendeu como monarca foi a Portugal, vindo então confirmar a velha aliança existente entre os dois países.
O busto, em bronze, do monarca, foi modelado por Albert Bruce-Joy e oferecido pela British Historical Society of Portugal. Inaugurou-o a rainha D. Isabel II em Março de 1985, quando em visita oficial ao nosso país.

EDWARD VII

His Royal Highness EDWARD VII of Great Britain was the son of Queen Victoria and Prince Albert, born in 1841.
Having attained great notoriety as Prince of Wales, he was a keen traveller, an able diplomat and acquired many personal friends in the foreign Courts of his period.
He was no longer a young man when he finally came to the throne in 1901 and he paid his first official visit as monarch to Portugal, thus confirming the ancient alliance between the two countries.
The king's bust, in bronze, was modelled by Albert Bruce-Joy and presented by the British Historial Society of Portugal. It was inaugurated by Queen Elizabeth II in March 1985 on the occasion of an official visit.

SIMON BOLÍVAR

General e político sul-americano, nasceu em Caracas no ano de 1783, e é considerada a maior figura da história política e militar da América do Sul.
SIMON BOLÍVAR, conhecido pelo cognome de «O Libertador», concebeu o projecto de libertar a América do domínio dos Espanhóis e unificar os estados.
Em 1819 liberta Bogotá e proclama a República da Grande Colômbia, da qual é eleito presidente, e que compreendia a Venezuela, a Colômbia, o Panamá e o Equador. Em 1822 e 1824 libertou o Equador e o Peru.
Morreu em 1830, e foi consagrado como o Washington da América do Sul.
A estátua foi oferecida a Portugal pela comunidade portuguesa da Venezuela e inaugurada em 1978.

SIMON BOLIVAR

A South American General and politician, SIMON BOLIVAR was born in Caracas in 1783 and is considered the most important figure in the political and military history of South America.
Simon Bolivar, nicknamed «The Liberator», conceived the plan to liberate America from Spanish dominion and to unify the states.
In 1819 he liberated Bogota and proclaimed the Republic of Greater Columbia, of which he was elected President, and which included Venezuela, Colombia, Panama and Ecuador. In 1822 and 1824 he liberated Ecuador and Peru.
He died in 1830 and was acclaimed the Washington of S. America.
The statue was presented to Portugal by the Portuguese community of Venezuela and was inaugurated in 1978.

1980. M. Baca Rossi *Campo dos Mártires da Pátria*

1953. Margarida Lopes de Almeida *Avenida António José de Almeida*

GARCILASO DE LA VEGA

GARCILASO DE LA VEGA foi escritor e historiador, nascido no Peru, em 1539, filho de um conquistador espanhol. Por morte de seu pai veio viver para Espanha, onde tentou fazer valer os seus direitos de linhagem, sem porém o conseguir. Em 1600 veio para Portugal com igual objectivo, mas também no nosso país não foi feliz.

Se, como historiador, a sua obra foi alvo de severas críticas por ser acusado de escrever sobre assuntos que não conhecia e se socorrer de fontes sem credibilidade, além de procurar apresentar os Incas da forma mais lisonjeira e nem sempre objectiva, como escritor todos lhe reconhecem mérito e o apreciam.

O busto em bronze, modelado por M. Baca Rossi, em 1980, foi inaugurado no Campo dos Mártires da Pátria e oferecido ao nosso país pela nação peruana.

GARCILASO DE LA VEGA was a writer and historian. Born in Peru in 1539, the son of a Spanish conqueror. After his father's death he went to live in Spain where he tried, unsuccessfully, to claim his bloodline. In 1600 he came to Portugal with the same intention but, once again, did not succeed.

If, as a historian, he became the target of severe criticism for writing on subjects with which he was not familiar, and using sources without credibility as well as representing the Incas in the most flattering and not always objective manner, as a writer he was owned to have merit and was esteemed.

The bronze bust, modelled by M. Baca Rossi in 1980, was inaugurated in the Campo dos Mártires da Pátria and was presented to Portugal by Peru.

JÚLIA LOPES DE ALMEIDA

Em oferta simbólica das mulheres brasileiras às mulheres portuguesas, o monumento, que é obra de Margarida Lopes de Almeida, retrata a romancista, dramaturga e contista brasileira JÚLIA LOPES DE ALMEIDA.

Nascida no Rio de Janeiro em 1862 era, à época, a maior figura literária feminina do seu país.

Da sua obra, posterior ao realismo e que retrata a sociedade de então, destaca-se: «A Família Medeiros», «A Falência» e «Ânsia Eterna».

De um estilo um tanto convencional e académico, a obra apresenta, porém, uma caracterização de figuras e acontecimentos, lúcida, perfeita e muito correcta.

Morreu em 1934.

As a symbolic gift from the women of Brazil to the women of Portugal, the monument by Margarida Lopes de Almeida shows the novelist, dramatist and story-writer of Brazil, JÚLIA LOPES DE ALMEIDA.

Born in Rio in January 1862, she was the greatest literary female figure of her country.

Her writings, coming after the age of Realism and revealing the social life of the period, include: «The Medeiros Family» ; «The Bankruptcy»; «Eternal Anguish».

In a rather academic and conventional style, her work is, nevertheless, a characterization of people and events, lucid, perfect and accurate.

NOS JARDINS DA FUNDAÇÃO GULBENKIAN
IN THE GARDENS OF THE GULBENKIAN FOUNDATION

CALOUSTE SARKIS GULBENKIAN nasceu em 1869, em Istambul, e era descendente de uma abastada família de arménios. Licenciado em Engenharia no ano de 1887 no King's College de Londres, ele foi ao mesmo tempo um pioneiro do desenvolvimento petrolífero no Médio Oriente, um negociador duro e esclarecido, um excepcional perito financeiro e um amador de arte de raro bom-gosto e de apurada sensibilidade estética.

Calouste Gulbenkian soube reproduzir uma grande fortuna, mas soube também distribuí-la com generosidade e traçar objectivos para aplicações futuras com uma perfeita compreensão da função social da riqueza.

Quando em plena II Guerra Mundial, Gulbenkian vem para Portugal, vem em busca de uma paz e de uma serenidade impossíveis de encontrar na Europa. Cá fixou então residência permanente e, no Hotel Avis de Lisboa, faleceu em 25 de Julho de 1955.

Por testamento criou a Fundação com o seu nome, dando-lhe sede na cidade de Lisboa e assumindo não só o gosto por Portugal mas ainda a convicção de que, no nosso país, há um profundo respeito pela vontade expressa dos instituidores.

A Fundação Calouste Gulbenkian tem, nos termos do testamento, fins caritativos, artísticos, educativos e científicos. Nos vastos jardins onde o conjunto arquitectónico se ergue, semeiam-se estátuas e, entre elas, a do fundador, monumento de sóbria composição da autoria de Leopoldo de Almeida, inaugurado em 20 de Julho de 1965.

Ali se ergue o Museu consagrado às obras do fundador, o Centro de Arte Moderna, integrando um Museu e um Centro de Documentação que foi inaugurado em 1983, anfiteatros, auditórios polivalentes, uma zona de congressos, diversas galerias de exposição e uma biblioteca de história de arte e de história, literatura e cultura portuguesas com mais de 150 mil volumes.

A Fundação Calouste Gulbenkian é ainda, no coração das chamadas «Avenidas Novas», o jardim encantado, aberto a todos e onde parece desaparecer o barulho da cidade e nascer uma calma quase insólita que lembrará a busca do seu fundador.

CALOUSTE SARKIS GULBENKIAN, born in Istambul in 1869, was descended from a wealthy Armenian family. He obtained a degree in Engineering from King's College, London in 1887 and became a pioneer in the development of the oilfields in the Middle East, a firm and enlightened negotiator, an exceptional finance expert and an amateur art collector of rare good taste and a high standard of aesthetic sensibility.

Calouste Gulbenkian not only built a great fortune, but also generously distributed it and sought objectively for its future application with a perfect understanding of the social function of riches.

When Gulbenkian came to Portugal during the Second World War, he was looking for a peace and serenity impossible to find in Europe. Here, then, he took up permanent residence in the Avis Hotel in Lisbon, where he died on 25th July, 1955.

In his Will he stipulated the creation of the Foundation that bears his name, with its headquarters in Lisbon, a reflection not only of his liking for Portugal but his conviction that, in this country, there exists a profound respect for the expressed wishes of a donor.

Under the terms of the Will, the objectives of the Calouste Gulbenkian Foundation are charitable, artistic, educational and scientific. In the spacious gardens statues are to be found, one of the founder himself, a monument of sober composition by Leopoldo de Almeida, inaugurated on 20th July, 1965.

In the grounds stand the Museum dedicated to the achievements of the founder, the Centre of Modern Art incorporating a Museum and a Research Centre inaugurated in 1983, amphitheatres, several auditoriums, an area for Congresses, many exhibition galleries and a library of books on the History of Art and on history, Portuguese literature and cultures, comprising over 150,000 volumes.

The Calouste Gulbenkian Foundation is also, in the centre of the so-called «Avenidas Novas» (New Avenues), an enchanted garden that is open to all, where it seems that all the noises of the city disappear to be replaced by an almost unusual tranquility, a reminder of its founder's quest.

1965. Leopoldo de Almeida *Praça de Espanha*

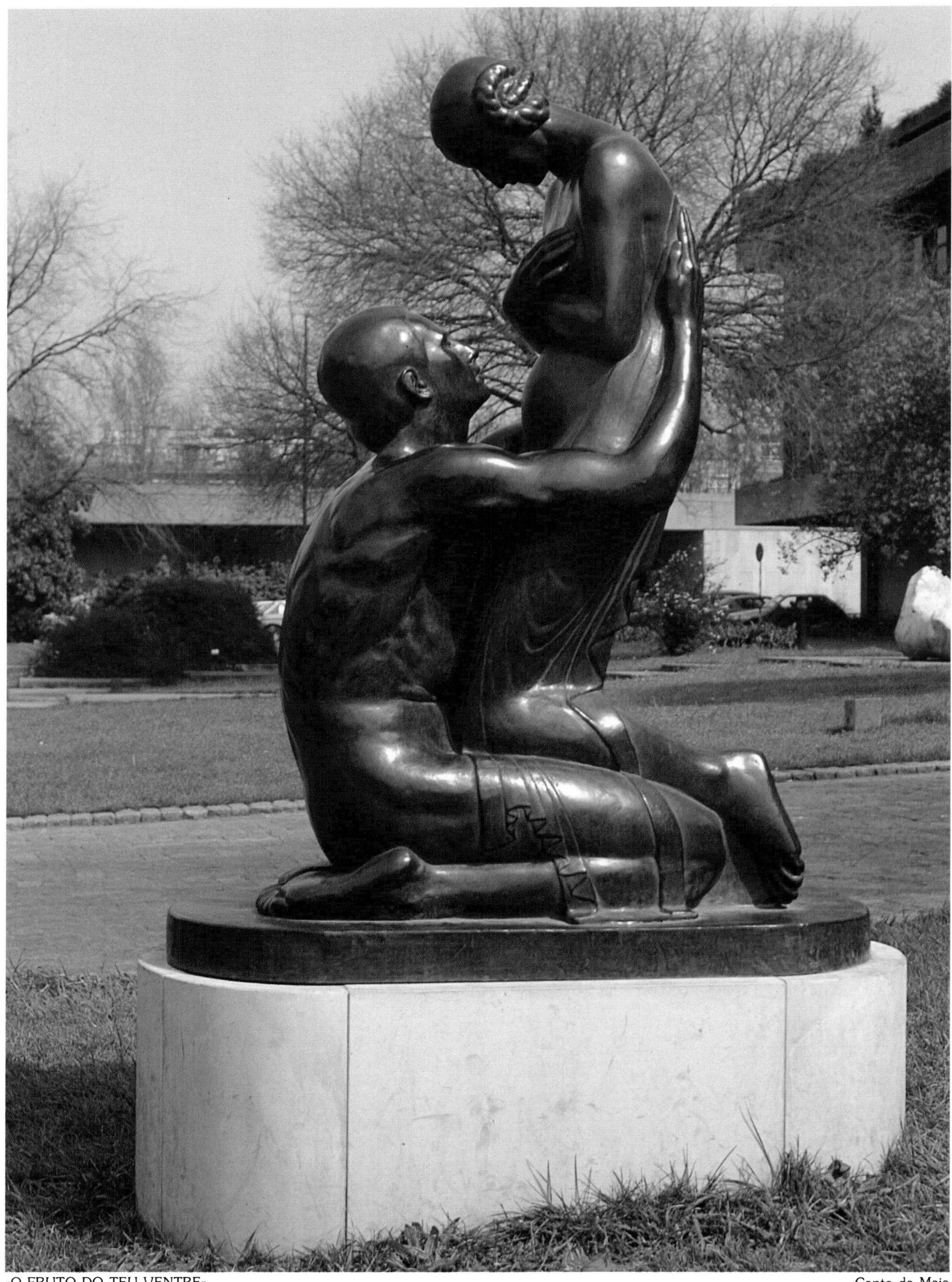

«O FRUTO DO TEU VENTRE» Canto da Maia

«NU FEMININO» António Duarte

«LA PUBERTÉ» 1981. Pierre Szekely

1971. «ESCULTURA» Vasco Pereira da Conceição

«LA GRANDE SAUTERELLE» 1978. Germaine Richez

«PAPISA OU COINCIDENCIA OPPOSITORUM» 1980. Clara Menéres

«MAR SEM FIM» João Fragoso

«A DOR» 1934. Hein Semke

«ESCULTURA» 1933. Ruy Gameiro

«UMA FIGURA DE MULHER». Dorita Castel-Branco

«ESCULTURA» 1981. Amaral da Cunha

«RECLINING FIGURE»

1982. Henry Moore

ÍNDICE ONOMÁSTICO / *ONOMASTIC INDEX*

PERSONALIDADES, ACONTECIMENTOS E ALEGORIAS
PERSONALITIES, EVENTS AND ALLEGORIES

ESCULTURAS NOS JARDINS DA FUNDAÇÃO GULBENKIAN
SCULPTURES IN THE GARDENS OF THE GULBENKIAN FOUNDATION